M000197112

"Ingratitud castigada"

MARCIAL LAFUENTE
ESTEFANÍA

Lady Valkyrie
Colección Oeste®

Lady Valkyrie, LLC
United States of America
Visit ladyvalkyrie.com

Published in the United States of America

Lady Valkyrie and its logo are trademarks
and/or registered trademarks of Lady Valkyrie LLC

Lady Valkyrie Colección Oeste is a trademark
and/or a registered trademark of Lady Valkyrie LLC

All rights reserved. No part of this publication may be reproduced,
stored in a retrieval system, or transmitted, in any form
or by any means, without the prior explicit permission
in writing of Lady Valkyrie LLC.

Lady Valkyrie LLC is the worldwide owner of this title in the Spanish
language as well as the sole owner and licensor for all other languages.
All enquiries should be sent to the Rights Department at
Lady Valkyrie LLC after visiting ladyvalkyrie.com.

First published as a Lady Valkyrie Colección Oeste novel.

Design and this Edition © 2020 Lady Valkyrie LLC

ISBN 978-1619515208
Library of Congress Cataloguing in Publication Data available

Índice por Capítulos

Capítulo 1

El que estaba hablando, bastante molesto, en tono de reproche, continuó diciendo:

—Todos los periódicos de la Unión se han hecho eco de tus crímenes, Madison. Por favor, ¡usa el cuchillo, y no remates a tus víctimas con un tiro en la nuca...! Si descubren quién eres en realidad, olvídate de esa herencia. ¡Ah...! Y recuerda que, pase lo que pase durante la lectura del testamento, debes de estar de acuerdo con los demás herederos.

—Eso depende de la lectura que haga ese abogado. Soy el pariente más directo del muerto. Bueno, también están mis dos hermanas.

—Es cierto que has estado mucho tiempo a su lado, pero también lo es, que es con el que desde hace tiempo estaba más enfadado. Te recriminó muchas veces tu forma de ser. Te pidió que trabajases a su lado y tú no quisiste hacerlo. Piensa que todo depende ahora de tu comportamiento.

Se detuvieron delante del despacho del abogado al que se dirigían.

Los que eran considerados como herederos del muerto escuchaban el testamento que leía el abogado, mientras se miraban sorprendidos.

—Esto es... lo que determinó vuestro pariente —dijo el abogado, una vez leída la última voluntad del muerto.

—¿No lo considera injusto, mister Jones?

—Era suyo y ha dispuesto en la forma que consideró más conveniente.

—Es la primera vez que oímos hablar de esa mujer. ¿Por qué ha de ser la más beneficiada...? Mejor dicho, es la que se queda con toda la inmensa fortuna. A nosotros nos deja solamente unos pocos dólares.

—Repito que estaba en su derecho.

—Escuche, abogado Jones —interrumpió uno de los herederos—; no voy a admitir ese testamento. Y espero que éstos tampoco lo admitan.

Al decirlo, una maliciosa y sádica sonrisa cubrió el rostro de Madison.

—Puede hacer lo que le parezca —replicó el abogado—, pero hay que cumplir lo que este documento dice. Así que solicitaré ayuda a las autoridades para que se cumplimente en todas sus partes.

—Pero, ¿quién es esa mujer que tan presente ha estado en el pensamiento de nuestro tío hasta el último momento?

—Sé de ella tanto como ustedes. Pero no tendré más remedio que notificárselo. Les anuncio que este es un testamento perfectamente legal.

—Usted sabía lo que contenía ese testamento, ¿verdad?

—De haberlo sabido lo habría notificado a esa mujer para que estuviera en el día de hoy en este despacho.

—¡No pensamos salir de aquí...! —Exclamó uno.

—Creo que lo pensará mucho mejor. No es agradable verse encerrado bajo la acusación de robo. ¿No le parece...? Y le puedo asegurar que lo harán las autoridades a requerimiento mío.

—Puede hacer lo que quiera, pero no nos moveremos de aquí. ¿Lo oye...? No se nos puede estafar como ha hecho nuestro tío. Somos sus parientes, sus únicos familiares, y va a ser precisamente una desconocida la que herede su fortuna.

—Habrá tenido sus razones, que estarán explicadas en esta carta que hay para esa mujer.

—Léala a ver qué dice —replicó serenamente Madison, pero sintiendo un cosquilleo en el dedo índice de su mano derecha que era con el que solía apretar el gatillo.

—Es personal y no puedo hacerlo. Sólo estoy autorizado por mi buen amigo desaparecido a leer el testamento. Es lo que acabo de hacer.

—Usted estaba de completo acuerdo con esa mujer y nuestro tío —dijo uno de los parientes que escuchaban—. No nos ha estimado nunca, abogado Jones.

—Les aseguro que su pariente redactó el testamento ante la más alta autoridad fiscal del territorio, por voluntad propia, sin que yo haya intervenido para nada en este testamento.

—Nosotros tenemos amigos que son buenos abogados.

—Creo que están en su derecho de recurrir a ellos si se consideran perjudicados, pero hay que pensar en la realidad solamente. ¿Estaba en su derecho de distribuir sus bienes en la forma que lo consideró conveniente?

—Repito que veremos a otros abogados.

—Están en su perfecto derecho de hacer lo que estimen conveniente. Pero mi consejo es que no deban hacer más gastos.

Esto no puede estar más claro. ¡Ah! Y recuerden que han de abandonar la compañía aquellos de ustedes que estén trabajando en ella, por así determinarlo el muerto. La heredera es la única que puede volver a admitirles. ·

—Le hemos dicho que no podrá una extraña echarnos de nuestra propia casa.

El abogado se encogió de hombros y añadió:

—Voy a hacer un inventario de todo lo que hay en la compañía naviera. Y repasaré el estado en que se encuentran las cuentas de los distintos bancos.

Hizo sonar una campanilla y acudió su pasante.

Le dio cuenta ceñida del resultado de la lectura del testamento.

—Yo iría en busca del sheriff y del juez —consideró el pasante.

—¡Ni el juez no el sheriff conseguirán hacernos cambiar de idea! —Exclamó el mismo que ya había dicho esto antes.

Marchó el ayudante del abogado y éste se puso a hacer una relación de los bienes que figuraban en el testamento con el propósito de hacer una valoración aproximada.

Los parientes que habían sido convocados por el abogado hablaban entre ellos animadamente.

La llegada de los dos representantes de la ley, con el abogado pasante de Jones, hizo que los herederos les hablaran a la vez todos ellos.

El sheriff y el juez, una vez que escucharon a los parientes del testador, miraron al abogado.

Este les dio a leer el testamento y el juez dijo:

—Lo siento, damas y caballeros, pero no tendrán más remedio que ajustarse a las últimas voluntades del muerto.

—Nuestro tío estaba con sus facultades mentales mermadas cuando murió. No se puede tomar en serio lo que dispuso en ese estado mental.

El juez, observó:

—¿Cuándo se dieron cuenta de ello...? ¿Denunciaron alguna vez que su pariente no estaba de acuerdo? Ahora, cuando se ven desheredados, dicen esto. No tienen más remedio que obedecer.

—Continuaremos en la compañía hasta que llegue esa víbora que ha sabido engañar a nuestro tío.

—¡No...! La esperarán fuera de las casas que están ocupando ahora —determinó el juez.

—¿Es que usted y el sheriff también están de acuerdo con el abogado Jonas?

—Nosotros no tenemos más que una misión que cumplir y ella nos obliga a pedir a ustedes, que acaten la voluntad de su pariente muerto.

—Pero si no lo hicieran —añadió el de la placa con una media sonrisa— encontrarán hospedaje gratis en una de mis celdas.

—No comprendo a estas autoridades. Están viendo que el tonto de mi tío nos roba lo que nos pertenece y aún están de acuerdo con su locura —comentó por primera vez Madison.

—Cuando decidió testar delante del fiscal general del territorio, vuestro pariente estaba en pleno uso de sus facultades mentales. Si decidió disponer así de lo que era suyo, nadie puede oponerse.

—¡Eso, lo veremos...! Lo decidirán otros abogados muy importantes de Louisiana.

—Pero todo eso, lo tendrán que hacer desde fuera de las propiedades del testador.

La actitud firme de las autoridades hizo que los cinco parientes del fallecido Paul Madison obedecieran, muy a pesar suyo.

Los cinco fueron vigilados estrechamente al recoger sus cosas de la compañía naviera y de las casas que ocupaban propiedad del muerto.

No les dejaron sacar nada que no fuera la ropa y objetos de uso personal.

Era indudable que quedaban en una situación muy delicada.

Acostumbrados a vivir en la opulencia sin hacer nada, ahora se encontraban sin dinero y en la calle.

La muerte del rico pariente les hizo sentirse muy dichosos y era notorio en la ciudad la alegría que les produjo esa muerte.

Todos ellos confiaban en heredar barcos y propiedades valiosísimas.

De ahí que la lectura de aquel testamento les dejara casi sin habla.

Steve y Charles se pusieron enseguida de acuerdo con Carl Madison, que era el hermano de sus esposas, y visitaron a un abogado del que tenían excelentes referencias para casos como éste.

Elvis Rosenberg, un abogado de fama muy turbia, les recibió en el acto.

Escuchó atentamente lo que decían.

—¡Esta es precisamente mi gran especialidad...! —Exclamó cuando terminaron de informarle—. ¿Es pariente de ustedes la heredera?

—¡Por ninguna descendencia familiar! Es la primera noticia que tenemos de ella. Debe tratarse de alguna lagarta que supo engatusar a mi tío cuando estuvo en Nueva Orleans. O tal vez la conociera en el río.

—En primer lugar, tendré que ver el testamento. Visitaré a Jones para que me lo enseñe. ¡Claro que si se pudiera demostrar que no estaba en su sano juicio cuando hizo el testamento, todo cambiaría...!

—Podemos decir que así era —apoyó Carl Madison.

—No basta con lo que digan ustedes; hay que buscar testigos que confirmen sus palabras.

Charles, aclaró:

—Podemos contar con algunos empleados de la naviera, sobre todo con la servidumbre de la mansión, que es donde mi tío pasaba la mayor parte del tiempo. También con el capataz de la plantación.

—Sería muy conveniente que hablen con él. Mientras, trataré de echar un vistazo a ese testamento.

—Usted tiene fama de ser un hombre muy hábil, mister Rosenberg. No importa qué medios utilice, pero hay cien mil dólares para usted si consigue que se anule ese testamento y seamos nosotros los herederos, como en justicia corresponde.

—Haré lo que se pueda. De momento, hay que hacer un escrito, que firmarán ustedes, en el que me nombren su representante legal para este caso. Sin este documento, Jones no me autorizará a conocer el testamento.

El mismo Rosenberg escribió el documento, que los otros firmaron.

—Y ahora —añadió—, otro documento en el que se comprometan a darme cien mil dólares en caso de que recupere el testamento para ustedes.

Tampoco tuvieron el menor inconveniente en firmarlo.

Poco después, se marcharon más tranquilos al hotel, donde les esperaban Jennie y Tanya, sus respectivas esposas, que eran las sobrinas del muerto. Tanto ellas como Carl Madison era hijos del único hermano varón que tenía Paul Madison de cuyo testamento se hablaba en toda la ciudad.

El dueño del hotel, informado de que los sobrinos habían sido desheredados, quedó pensativo.

Si lo que se estaba comentando en la mayoría de las conversaciones era verdad, esos parientes no podrían pagar, ya que era notorio que no tenían un solo centavo y que esperaban la lectura del testamento de Madison para poder heredar.

Consultó con su esposa sobre lo que debía hacer, pero ella le dijo que debían esperar a que pasaran unos días.

El difunto Madison había admitido a sus sobrinas en la compañía naviera que llevaba su nombre, asignándolas un sueldo, que era de lo que habían estado viviendo ambos matrimonios.

La visita a Rosenberg animó a los esposos de las dos sobrinas del muerto y dijeron a sus respectivas mujeres que todo estaba resuelto.

Poco más tarde, Rosenberg, con los documentos firmados, uno en su bolsillo y el otro en su despacho, visitó a su colega Jones.

Para Jones no era una sorpresa la visita de Rosenberg y supuso en el acto la razón de ella.

Rosenberg, orgulloso, entró sonriente y dijo con mucho énfasis:

—Buenos días, colega. Represento a los sobrinos de Madison.

—Lo adiviné tan pronto como te vi entrar por esa puerta. Pero no creo que tenga nada que ver conmigo.

—Vamos a impugnar el testamento del viejo Madison que no estaba en pleno uso de sus facultades mentales cuando testó.

—¿Sabes en qué fecha lo hizo?

Rosenberg quedó algo desconcertado.

—Es indudable que se sabía en todo el territorio que Madison había perdido el juicio.

Jones sonreía.

—Esta es la primera noticia que tengo de ello.

No sabía nada.

—Es natural que trates de negar lo que es evidente, ya que así tratas de sostener un testamento tan absurdo.

—Pero ¿conoces el testamento?

—Me han hablado de él mis clientes.

—Seguro que te han engañado. Pero, en fin, si estás dispuesto a impugnar, hazlo.

—No lo dudes que así lo haré.

—Pero no aquí.

—¿Cómo dices?

—Que no lo harás aquí. El testamento está hecho ante la máxima autoridad de Nueva Orleans. Es allí donde debes hacer la impugnación.

Rosenberg quedó preocupado.

—Es aquí donde podré demostrar que no estaba en su sano juicio.

—¿De veras? —Añadió Jones riendo—. Como quieras. Eres abogado y sabes lo que tienes que hacer. Ahora, si me permites, he de continuar con mi trabajo.

—Necesito ver ese testamento.

—Cuando hagas la impugnación, te será mostrado por la autoridad que lo extendió y firmó como testigo.

—Tú sabes que como abogado de ellos debo conocer el testamento.

—No te preocupes. Te enviaré una copia a tu casa. Debes estar tranquilo.

Rosenberg salió muy enfadado del despacho de su colega.

Se hallaba seguro de que pisaba un terreno falso. Por eso, aparte del enfado, iba preocupado.

Tenía que esperar a conocer el testamento. Reconocía que había obrado de una manera demasiado ligera.

La fama de hombre generoso que el viejo Madison tenía en todo el río desde Memphis a Nueva Orleans, impedía los propósitos de Rosenberg.

En cuanto recibió la copia prometida del testamento lo leyó una y otra vez.

Fue interrumpido en sus pensamientos por la

llegada de Steve, Charles y Carl.

—Sabemos que ha visitado a Jones —dijo Charles a modo de saludo—. ¿Qué ha dicho?

—Tengo aquí una copia del testamento. No hay ninguna duda que es legal y que no se puede hacer nada en contra del mismo.

—Pero...

—Lo siento, pero no quiero que mi colega se ría de mí. El muerto estaba en su derecho al dejar lo que era suyo a quien quisiera.

—Supongo que no habla muy en serio, ¿verdad...? —Dijo Carl Madison.

—Totalmente. Lo siento, pero repito que no se puede hacer nada.

Capítulo 2

—¡No puedo creerlo!

—Esa mujer es la legítima heredera de Madison. Cuando llegue, se hará cargo de todo.

—¿Qué sabe ella de barcos y plantaciones? Rosenberg, contestó:

—No lo sé. De verdad que lo siento mucho, pero creo que aún hay solución para ustedes si saben tratar a esa mujer cuando llegue.

Los tres que escuchaban, se echaron a reír.

Luego, cuando se marcharon, iban planeando lo que deberían hacer cuando esa heredera se presentara allí.

Acordaron ir a la plantación para esperar en ésta la llegada de la heredera.

El capataz o jefe de personal haría lo que ellos le indicaran si había una cantidad de dinero respetable por medio.

Una vez en el hotel, Steve y Charles dijeron a sus respectivas esposas que era conveniente ir a la plantación a esperar a que llegara esa mujer.

Ellas estuvieron totalmente de acuerdo. Pero al saber en el hotel que se marchaban, les exigieron el pago de lo que debían.

—No se preocupe —dijo Charles—. Le pagaremos.

—¡No sé cómo podrá hacerlo...! ¡Ya conocemos el testamento del viejo Madison...!

—He dicho que le pagaremos.

—Verás, Charles. Todos sabemos que no habéis heredado nada, aunque vosotros esperabais lo contrario.

—Tenemos nuestra parte en la plantación y en la compañía naviera. Si esa mujer de la que todo el mundo habla en Baton Rouge está decidida a quedarse con todo, tendrá que pagarnos una fortuna. Así que puede estar tranquilo.

No insistió el del hotel.

Las palabras de Charles animaron las conversaciones en todos los locales de diversión hasta llegar a conocimiento de Jones.

—Esos granujas van a robar algodón —observó.

Y para evitarlo envió un emisario a George Vernon, capataz en la plantación.

Cuando éste se presentó ante el abogado, le dio cuenta del testamento y de que los sobrinos no podían permanecer en la plantación.

El capataz, que se hallaba instruido por Charles, dijo que no pasaría nada por permitirles estar allí hasta que llegara la heredera.

Comprendió el abogado que el capataz estaba de acuerdo con los sobrinos y decidió lo que George no podía esperar.

—Está bien. En ese caso, ejerciendo como albacea que soy, voy a enviar inmediatamente otro capataz a la plantación —dijo el abogado.

Para George era una desagradable sorpresa esta inesperada decisión.

En tono molesto, dijo:

—Pero, ¿qué dice...? No creo que he dado motivos para el despido. Si he hablado así es porque me parece demasiado duro dejar a los sobrinos del patrón en la calle cuando pueden esperar en la plantación a que sea esa heredera quien decida.

—Será conveniente que vayan pensando en conseguir un trabajo digno. Ya han estado demasiados años sin hacer nada. Han vivido de lo que les daba el tío. A pesar de que les ofreció trabajar en distintos puestos, nunca lo quisieron. Sus esposas son las que aparentemente hacían algo, aunque también sabemos que tenían un trabajo en el que la mayoría de los días no se presentaban, dando alguna excusa.

—Es posible que tenga razón. Y si en efecto no quiere que entren en la plantación, no les dejaré que lo hagan.

—Está bien. Puede permitirles que esperen allí a que llegue la heredera. Después de todo, no sabemos qué decidirá ella.

—¿Se sabe cuándo llega...?

—Todavía no ha comunicado nada. He escrito a las señas que figuran en el testamento y no sé, por tanto, cuándo llegará.

—¿Viene de lejos?

—Bastante lejos. Aproximadamente unas trescientas millas hacia el norte.

—¡Los sobrinos comentan que debe estar en Nueva Orleans! Aseguran que debió conocer allí a esa mujer cuando el patrón aún no había decidido dónde instalar su compañía naviera.

—No es así. Viene de mucho más lejos. Concretamente de Memphis.

Pocos minutos después, el capataz se marchaba realmente contento. Había convencido al abogado y se proponía sacar de los almacenes la mayor cantidad posible de algodón, pero lo haría en beneficio propio y no para los sobrinos que, en realidad no le importaban nada, alegrándose de lo que les había ocurrido.

Cuando llegó a la plantación, Carl, Steve y Charles, le preguntaron qué quería el abogado Jones.

Se alegraron de poder estar allí hasta que llegara la heredera, a la que tratarían de convencer para quedarse más tiempo.

Pero el abogado no era tonto como George había imaginado.

A la mañana siguiente, a primera hora, se presentaron el juez y tres propietarios de plantaciones, acompañados por trabajadores de éstos.

George les miró preocupado.

—Venimos —dijo el juez— para hacer inventario en los almacenes y también un recuento en el ganado. Tenemos que dar cuenta al abogado Jones.

George palideció de ira. Pero se contuvo.

Fueron llamados por el juez los empleados de la plantación y les informó de lo que iban a hacer.

Se calculó el peso del algodón que había en los almacenes, así como el que quedaba por recoger.

Para el capataz era una contrariedad enorme. Y mucho más para los cinco desheredados.

Esta medida de Jones les impedía el robo de algodón y de los valiosísimos potrancos, que el viejo Madison decidió criar en la plantación. Había pagado una fortuna por los cuatro sementales purasangre que le enviaron del viejo continente.

Seis días tardaron en finalizar el inventario exigido por el abogado Jonas.

Se asombraron de la cantidad de algodón que había en los almacenes, así como del valor que tenían las potrancas que se criaban en una zona apartada de los cultivos de algodón.

Cuando lo comentaban en la mansión que ocupó el viejo Madison durante largas temporadas, dijo el juez:

—No necesitaba vender; por eso no se preocupó en absoluto de hacerlo.

—Es una cantidad excesiva de algodón —observó uno de los propietarios de plantación—. ¡Vaya fortuna!

—¡Buen regalo le ha caído a esa gran mujer...! —Exclamó otro dueño de plantación—. No creo que haya soñado nunca con algo parecido.

—¡Y si sólo fuera esto...! Está la compañía naviera con más de diez barcos navegando por el Mississippi.

—También era uno de los más importantes accionistas de otras compañías navieras. Sentía algo muy especial por los barcos que navegan por el Mississippi.

Al marcharse los visitantes, comentó George con los cinco sobrinos del muerto:

—Ahora sí que no podemos hacer nada. No se puede tocar el algodón de los almacenes. Ese inventario impide que podamos vender una sola libra de algodón. Tampoco ningún potranco.

—¡Maldito juez...! —Bramó Carl Madison.

Intervino Jennie, la esposa de Steve, diciendo:

—Nuestra salvación está en esa mujer. Cuando llegue hay que saber hablarle para que nos permita estar aquí y nos deje participar de esta inmensa riqueza.

George era el más enfadado por el inesperado inventario y los trabajadores se dieron cuenta.

Lo comentaban en voz baja entre ellos.

Tres días después continuaban esperando la llegada de la misteriosa heredera.

Uno de los amigos de Steve y Charles les dijo una noche:

—¿Qué pensáis hacer...?

—¿A qué te refieres...? —Replicó Charles.

—Vuestra situación es francamente delicada. Tendréis que trabajar en algo.

—Lo haremos en la plantación cuando venga la heredera. Va a necesitar nuestro asesoramiento.

El amigo sonrió burlón.

—¿Vosotros de asesores? —Exclamó—. No me hagáis reír. No habéis hecho nada desde que os casasteis con las sobrinas de Madison. El testamento que hizo el viejo demuestra que no estaba engañado.

—¡Maldito sea...! —Exclamó Carl.

—Creo que hacéis mal siguiendo así. Ese viejo astuto de Jones no dejará que os llevéis nada que valga un solo centavo.

Cuando esa noche se dirigían a la plantación, los dos esposos de las sobrinas del muerto hablaron entre ellos y decidieron esperar a la mujer que en cualquier momento se presentaría para hacerse cargo de la herencia.

—Podremos conseguir un puesto de trabajo en cualquiera de las compañías donde vuestro tío era accionista —dijo Charles.

—Creo que deberíamos intentarlo antes de que esa mujer llegue.

—Es mejor esperar a su llegada. Tal vez nos ayude.

Y pasó una semana más.

George visitó a Jones para decirle que tenían que vender algo de algodón.

—Hace falta dinero para cubrir todos los gastos. —Dijo—. El personal tiene que cobrar.

—¿Qué cantidad necesita para ello?

—Pues... —Quedó pensativo—. Creo que con cinco mil dólares haremos frente a todos los gastos de este mes.

El abogado Jones le miró sonriente.

—Veinticinco empleados a cincuenta dólares, son mil doscientos cincuenta dólares —replicó el abogado— y cien para usted.

—Es que se les debe dos meses de atrasos.

—No es cierto. Madison era un hombre muy bien organizado. Tengo en mi poder los libros. Sin duda usted ignora esto, ¿verdad?

—Lo de los atrasos, me lo han dicho algunas familias que trabajan en la plantación.

—Pero usted sabe que no es cierto. Se hallaba siempre presente cuando se pagaba al personal, ¿verdad?

—No... ¡No! Yo no estaba siempre con el patrón —respondió el capataz.

—No se debe un solo centavo de atrasos. Le daré mil cuatrocientos dólares.

—¿Y lo que se debe de víveres en los almacenes?

—Tiene razón. Venga mañana y le daré cuatrocientos dólares. Con mil ochocientos tendrá suficiente para cubrir todos los gastos.

George se marchó a la plantación disgustado. Estaba arrepentido de haber querido engañar al abogado con los supuestos atrasos.

Más tarde, el capataz, al hablar con Charles, le dijo:

—Creo que están ustedes haciendo el tonto. Si saben la fecha del testamento de su pariente han

Capítulo 3

El abogado entregó la carta que tenía en su poder para la heredera.

Esta leyó con sumo interés y, al terminar, exclamó:

—¡Está todo aclarado!

—No comprendo... —Dijo el abogado.

—Puede leer —añadió ella tendiendo la carta a Jones.

Este la tomó en sus manos intrigado. Y al terminar de leerla, exclamó:

—De manera que era tu padre. Lo tenía muy bien guardado. ¡Nadie sabía nada...!

—Tampoco lo sabía yo, porque mi madre me puso sólo el apellido de su padre. Se marchó de casa por haberse enamorado del viejo Madison, como ella cariñosamente solía llamarle. Sé que mi padre la estuvo buscando durante algún tiempo con el propósito de casarse con ella. En el momento que mi padre me dio sus apellidos, mi madre decidió desaparecer de su vida. Me consta que la estuvo buscando durante muchísimo tiempo.

El abogado, sonriendo, explicó:

—Ahora eres dueña de una gran fortuna. Creo

que debes de tener mucho cuidado con esos parientes que esperan en la plantación.

—Antes de ir a reunirme con ellos, lo que vamos a hacer es redactar un testamento de forma que sepan que no serán los que me hereden en el caso de que me sucediera una desgracia.

—Tu padre hizo todo lo posible por encauzar a esos dos inútiles que se casaron con sus sobrinas sólo pensando en la fortuna que suponían que iría a sus manos a la muerte del viejo y solterón Madison. Tampoco pudo hacer nada con Carl, que para mí es el peor.

La joven se echó a reír.

Añadió el abogado que había en la ciudad una mansión que le pertenecía a ella y que podía ocupar desde ese momento.

Pamela, como se llamaba la heredera, dijo que le haría falta servidumbre.

—Todavía siguen en la casa los mismos que atendieron a tu padre durante muchos años y a quienes él estimaba de veras.

—Verá, abogado, soy desconfiada por naturaleza. Si considera que merecen alguna gratificación, sea usted mismo el que la fije. Pero no quiero a nadie que haya estado con esos parientes.

Jones sonreía.

—Entiendo que es una medida muy acertada. Y si no tienes inconveniente, les daremos mil quinientos dólares a cada sirviente.

—Lo que usted diga. ¿Hay dinero en el banco?

—¿Dinero? Más de dos millones.

—En ese caso, aumente a cinco mil la gratificación.

—Creo que te lo agradecerán eternamente.

—Arréglelo todo. Y no olvide lo de mi testamento.

—Podemos hacerlo ahora mismo, si te parece.

—Es una magnífica idea. Llame al juez como testigo.

Dos horas después Pamela llegaba a la mansión acompañada de Jones.

Éste dio cuenta a los tres criados que había en la misma, un hombre y dos mujeres, de lo que había decidido la propietaria en favor de ellos y los tres no sabían cómo expresar su gratitud.

El mismo abogado se preocupó de buscar quienes les sustituyeran.

Los elegidos, eran personas de máxima confianza.

Pamela estuvo de acuerdo.

En la ciudad se comentaba la llegada de la heredera. Se hablaba de su gran belleza y del hecho de haber firmado un testamento en primer lugar.

Al otro día, no se hablaba de otra cosa en las instalaciones de las oficinas de las tres compañías navieras con representación en Baton Rouge.

La criada que abrió la puerta, anunció a Pamela que el capataz de la plantación solicitaba verla.

Éste, al conocerla, quedó admirado de la belleza de la muchacha. Ya sabía que era la hija secreta de Paul Madison.

Nada más ver a Pamela, el capataz pensó en lo que supondría para él poder enamorar a esa muchacha.

Pero Pamela no le dio la menor muestra de confianza a George.

En tono serio, le dijo:

—Voy a estar unos días aquí. Quiero examinar los libros de la compañía naviera que he heredado de mi padre. Después me ocuparé de la plantación donde es posible que me quede una larga temporada. Ya sé por el abogado Jones que los almacenes están cargados de algodón. Tendremos que pensar en vender si el precio de mercado así lo aconseja.

—Desde luego. Es el algodón de mejor calidad de toda Louisiana. Su padre no quería vender porque, en realidad, no necesitaba hacerlo. Tenía ingresos fabulosos por otros conductos. Especialmente por las compañías navieras de las que era mayor accionista.

—Me iré informando puntualmente estos días por el abogado Jones. ¡Ah...! Y diga a esos parientes que están en la plantación que no los quiero allí.

Cuando yo decida ir a la misma no deben estar ellos.

—Creo que tienen intención de esperarla para hablar con usted.

—Deben evitarse y evitarme la violencia del encuentro. Si mi padre no les dejó nada es porque no supieron ganarse su afecto y confianza.

George prometió transmitir los deseos de su patrona a los desheredados que esperaban en la plantación.

Y así lo hizo.

—¡Nuestro tío no nos habló de su aventura! —Exclamó una de las mujeres.

—¿Y cómo es...? —Preguntó la hermana de ésta, refiriéndose a la heredera.

—¡Es una belleza...! —Exclamó el capataz.

—¿Una belleza...?

—¡Como no he visto nada parecido en mi vida...! Y no debe de tener más de veinte o veintiún años.

En la ciudad fueron muchos los que se presentaron en la mansión de Madison solamente para conocer y saludar a la hija de éste.

Pamela se portó correcta con todos, pero a la vez fría e indiferente.

La esposa del abogado Jonas invitó a la joven a comer con ellos los días que tardara en ir a la plantación. De ese modo podía ir informándose de todos los asuntos en que su padre tenía intereses.

Mientras comían, Jones iba relacionando todas las compañías en la que ella, como heredera, era accionista.

—Creo que en lo que se refiere a los asuntos navieros, será conveniente delegues en alguno de los compañeros de tu padre que merezcan tu confianza.

Pamela le miró en silencio hasta que al final de una breve pausa, respondió:

—Voy a ir en breve a Nueva Orleans y a Vicksburg para informarme sobre el terreno de estos asuntos. Después, ya veré lo que hago.

—Supongo que no hablas en serio, ¿verdad? —Añadió el abogado.

—¿Por qué supone así?

—Porque esos negocios son cosas que no corresponden a una mujer.

—¿Soy la heredera...?

—Sí.

—En ese caso, me informaré allí. Debe convocar reuniones para cuando yo lo indique. Si mi padre presidía algunas compañías, seré yo la que lo haga de ahora en adelante.

Pamela se dio cuenta de que molestó a Jonas su modo de hablar.

—Creo que no debes excederte —indicó el abogado—. Deja a las personas que entienden de esos asuntos.

—No se moleste, pero lo voy a hacer tal como lo acabo de decir.

La esposa de Jonas también estaba molesta.

—No debes insistir —recomendó a su esposo—. Estás viendo que no se fía de nadie. ¡Después de todo lo que has hecho por ella y ahora, no se fía...!

—No es eso; debe comprender que quiero enterarme de todo lo que respecta a mis negocios —replicó Pamela.

La mujer, todavía mucho más molesta, en tono hiriente, agregó:

—Yo no entiendo esos problemas; supongo que es porque no soy tan inteligente como tú.

Pamela no replicó, pero esa misma tarde envió a la mujer que atendía la mansión al despacho del abogado para que éste entregara todos los papeles que tenía de su padre.

La esposa de Jones, al informarle, exclamó:

—¡No quiero que vuelvas a aconsejar a esa presumida! ¡Deja que se arruine...! Después de todo pertenece a esa clase de gente que nunca ha tenido nada y ahora se considera que entiende de todo y que no necesita la ayuda de nadie.

—Creo que tienes razón.

—Además, ¡no quiero verla más en esta casa...!

Jonas sonreía.

—Me parece que no vendrá. Por eso ha pedido todo lo que tengo de su padre. Te excediste esta mañana.

—¿Es que vas a estar de acuerdo con ella?

—Parece que no te das cuenta de que ella es la heredera y puede hacer lo que le parezca. ¿No te parece...?

—¡Es una engreída! Me alegraría que le costara caro lo que intenta. ¿Es que no has llevado bien los asuntos del viejo Madison? ¡Ya ves el pago que recibes!

Jonas no contestó. Poco después, preparó todos los papeles, que eran muchos, para llevarlos personalmente y explicar lo que era cada uno de ellos.

Cuando al otro día, la esposa de Jonas le preguntó por la visita, exclamó él:

—¡Esa muchacha es mucho más inteligente de lo que presumimos! Se ha informado de todo con una facilidad increíble. La creo capaz de llevarlo todo sin el menor error y sin la ayuda de nadie.

—¿No será su belleza lo que en realidad te ha cautivado?

—¡Qué cosas dices...! Tengo demasiados años para que la belleza me afecte. Es realmente inteligente.

—Creo que fue una tontería de Madison acordarse de esa hija secreta.

—Era una obligación moral. Supo cumplir con ella.

—Pero ha puesto una inmensa fortuna en manos de una soberbia. Ya veremos lo que le dura.

Poco más tarde, Jones se marchó para encontrarse con Pamela.

En el banco recibieron con todos los honores a la rica heredera.

Unos minutos después, sentados en el despacho del director, informaron a Pamela y al abogado de la situación bancaria.

Ella después de escuchar atentamente y en silencio las explicaciones, dijo al director:

—Espero que se hagan cargo ustedes de todas las liquidaciones de los intereses de las acciones que poseo en distintas compañías navieras. Creo haber entendido a mister Jones que se encuentran depositadas aquí todas las acciones que deben ser cambiadas a mi nombre, con objeto de poder asistir a los consejos y a las reuniones de accionistas.

El abogado y el director se miraron sorprendidos.

—Deben informar inmediatamente a esas compañías navieras de que soy yo la que en adelante asistiré a los consejos que se celebren.

—Debe permitir darle un consejo, miss Madison —dijo el director—. Esos asuntos son muy complejos y precisan una preparación especial.

—Gracias por su interés, pero le ruego tenga presente que cuando desee un consejo, lo pediré abiertamente.

El director se puso muy nervioso.

—Créame que no he querido ofenderle.

—Y no lo ha hecho; puede estar seguro. Pero no olvide lo que he dicho.

Siguieron hablando de acciones, y de los intereses en general que pertenecían por la herencia a la muchacha.

Cuando iban a salir, dijo Pamela:

—Ahora, haga el favor de extender un talón por veinticinco mil dólares a nombres de mister Jones. Es el pago por sus gestiones como albacea.

Jones se quedó sin saber qué decir. Dio las gracias en un balbuceo casi incoherente.

Después, la joven regresó a su mansión.

El abogado, al entrar en su casa, fue asediado por la esposa. Antes de que Jonas pudiese decir nada, empezó a insultar a Pamela, terminando por decir que era una desagradecida.

Jones, enfadado, exclamó:

—¡Cállate...! ¡Me ha regalado veinticinco mil dólares! Es una cantidad que no he ganado en tantos años que llevé los asuntos de Madison.

—¿Es que no merecías mucho más? —Replicó ella.

—No sabes lo que dices.

Por su parte, el director del banco daba cuenta a su familia de lo sucedido.

—¡Es una gran «pécora»...! —Dijo—. ¡Pero me

vengaré de ella! Voy a ganar una fortuna con la administración que ha puesto en mis manos.

—¿Has pedido informes de esa mujer?

—¿Informes...?

—Puede tratarse de una impostora.

—Está avalada por el abogado Jones. Por cierto, que ha tenido mucha suerte ese abogado.

El director dio a conocer a su esposa la cantidad que Jones había recibido como pago a sus gestiones.

Pero dos días después, el director del banco iba a recibir una gran sorpresa.

Pamela se presentó inesperadamente en el banco y le explicó lo que quería.

Éste, después de escuchar a la joven, se puso muy nervioso.

—En el movimiento de la cuenta no figura lo de las acciones.

—Eso lo llevaré personalmente para más tranquilidad, miss Madison.

—No le he nombrado a usted como administrador, sino que lo he hecho al banco por lo que es esta entidad la que debe de hacerlo.

—He creído que sería mejor de la otra forma.

—Hágalo como crea que deba hacerlo. Es el banco, oficialmente, el que tiene que velar y darme cuenta de mis intereses.

—Si la central supiera esto...

—Lo sé. Podría costarle el cargo —le interrumpió ella—. Confío en que no se repita.

Cuando la joven salía, el director, nervioso, se limpiaba el sudor.

En esos momentos, tres mujeres se habían convertido en peligrosas enemigas de la heredera: la dueña del hotel, la esposa del abogado Jones y la del director del banco.

Una tarde se presentaron en la mansión las dos casadas desheredadas, sobrinas del padre de Pamela.

Fueron recibidas en el acto.

Las dos miraban a Pamela con todo interés. Pensaban que no habían exagerado nada al hablar de su belleza.

También comprendían lo que había hecho su tío, pero no sabían cómo empezar a hablar.

Al fin, lo hizo Tanya, diciendo:

—Fue una sorpresa la lectura del testamento. Era natural que esperáramos ser las herederas porque no sabíamos que existieran otros familiares más directos de nuestro tío Madison.

—Soy hija legítima de Paul Madison. La historia que hay detrás de todo esto no creo que les pueda interesar a ustedes.

—No es que nos consideremos con derecho alguno. Como hija eres la heredera indiscutible, pero la verdad es que estamos en unas circunstancias angustiosas.

—Comprendo que ha de ser muy violento para ustedes la actual situación, pero no es mi culpa. Lo siento. Creo que deben aconsejar a sus esposos que trabajen.

—Podrían hacerlo en la naviera del tío. Si tú les recomiendas, les darían el trabajo.

Quedó pensativa Pamela.

—¿Están decididos a trabajar? —Preguntó.

—¡Sí! —Exclamaron las dos a la vez.

—Está bien. Cuando me informe detenidamente, les recomendaré. ¿Qué saben hacer? ¿Qué hacían antes de casarse con ustedes?

Tanya, sin contestar a la pregunta, replicó:

—Se adaptarán pronto al trabajo.

—Ya, pero primero debo saber para qué sirven. No puedo recomendar sin este requisito.

—Será mejor que hables tú con ellos —dijo Jennie.

—No es mala idea.

Jennie, añadió:

—Además, te pido que nos permitas que sigamos en la plantación, si no quieres que lo hagamos aquí donde hemos pasado tantos años.

Pamela, quedó pensativa. Sentía mucha lástima de las dos mujeres. Luego, dijo:

—De acuerdo. De momento pueden vivir aquí. Yo voy a ir a pasar una temporada a la plantación.

—Si quieres, nuestros esposos te pueden ayudar

en la administración. Debes confiar en ellos. El tío Madison no quiso darles una oportunidad.

—Ya hablaremos de eso más tarde. Buscaremos un trabajo para ellos. No quiero que piensen mal de mí. Pero tienen que cambiar radicalmente.

Poco después, las primas de Pamela se marcharon contentas en busca de los esposos, los cuales ya habían llegado con un testamento falsificado dispuestos a que Rosenberg lo hiciera valer.

Lo que las dos mujeres les dijeron, aconsejaba que esperasen un poco antes de hacerlo.

Tanya, comentó:

—Me alegro de haber ido a verla. Me parece que es una buena persona. Nos va a permitir seguir viviendo en la mansión y os buscará trabajo.

—¿Trabajo...? Pero, ¿qué dices? Lo que tenemos que hacer es conseguirlo todo.

Tanya, comentó:

—Me parece que eso ahora está muy difícil porque ella es hija del tío.

—Jones está muy disgustado con ella. Yo creo que, si le hablamos, él se encargaría de presentar el nuevo testamento. Si lo sabe hacer bien, podría ser una fortuna para nosotros.

Pero al fin decidieron esperar.

George decidió guardar de momento el falso testamento que habían preparado.

Las hermanas hablaron entre ellas de ese cambio de actitud. Estaban contentas.

Capítulo 4

Steve, Charles y Carl decidieron ir a conocer a la heredera y a hablar con ella.

Cuando ellos llegaron, Pamela estaba consultando detenidamente los papeles entregados por el abogado Jones.

No le agradaba a Pamela esta visita. Primero quería informarse detenidamente de los tres, antes de decidir lo que debía hacer con respecto a estos parientes. Pero no podía dejar de recibirles.

Los tres visitantes admiraron a Pamela al aparecer en el saloon en que esperaban.

Después de una larga conversación, dijo Pamela:

—He dicho a sus esposas que podrán vivir aquí como lo han hecho estos años atrás. Confieso que lo poco que he oído de ustedes es muy poco recomendable. Pero será mejor que mi criterio se forme después de una prueba. A veces, cuando se adquiere mala fama, la opinión general suele ser injusta. ¿Entienden de barcos?

—¡Ya lo creo! —Exclamaron a la vez los dos.

—Eso me alegra. Debo tener a alguien en Nueva Orleans que vele de cerca por la marcha de las compañías navieras en que mi padre tenía mayoría de acciones. Cuando yo decida visitar esa ciudad, podrán venir conmigo y allí arreglaremos la colocación de ambos.

—¿Para vivir en Nueva Orleans? —Dijo Charles, sin disimular su alegría.

—Sí.

Llegada la hora del almuerzo, la heredera les invito a hacerlo con ella.

Durante la comida siguieron hablando de distintos temas. Los tres se marcharon muy bien impresionados de la muchacha.

Tanya y Jennie oyeron lo que decían de ella.

—Sí. Esa es también la impresión que tengo yo —añadió Jennie.

—Me agradaría más quedarnos aquí —opinó Tanya.

—¡No, no...! Es mucho mejor que estemos en Nueva Orleans —comentó Charles.

Cuando por la tarde estuvieron los tres de nuevo en la ciudad hablaron con los amigos de la heredera.

La esposa del abogado Jones había hecho una especie de campaña que le ponía en mal lugar a Pamela.

En la misma línea hablaban la esposa del director del banco y la dueña del hotel.

Llamaban a la heredera «pécora» con suerte.

Los tres parientes del desaparecido Madison se encontraron, en uno de los locales que visitaron, a Elvis Rosenberg.

—¿Qué tal las relaciones con esa maldita «pécora»? —Preguntó el abogado.

—Parece una buena muchacha.

—¡Vaya, sorpresa...! Eso quiere decir que no están enfadados con ella, ¿verdad?

—Dicen que no hay medio de impugnar el testamento, porque es la hija de nuestro tío. Lo que vamos a hacer es ayudarla en los asuntos navieros. Posiblemente nos quedemos en Nueva Orleans.

Rosenberg sonreía.

—Esa joven está demostrando ser más inteligente de lo que piensan en la ciudad. Les ha ofrecido unas migajas y ustedes se han precipitado a aceptar, cuando podían tener todo lo que ella va a poseer.

Los tres se miraron intrigados.

—¿Qué quiere decir? —Exclamó Carl.

—Que, si tenemos otro testamento con fecha posterior, habría lucha. Y si en este testamento se divide la herencia en partes, no podrían sospechar nada.

Carl, Steve y Charles sonreían contentos. Después de apurar unos tragos de whisky quedaron de acuerdo.

Rosenberg se encargaría de todo.

Ellos debían seguir en la misma actitud respecto a la muchacha.

Los cuatro se conjuraron para no decir una palabra a nadie. Ni a sus respectivas esposas los casados. Carl era el único soltero.

Al día siguiente salía Rosenberg, con muchos papeles escritos por el viejo Madison, hacia Nueva Orleans.

A nadie podía extrañar este viaje, ya que hacía varios en el curso del año.

Pasaron varios días, durante los cuales, Steve y Charles, con sus respectivas esposas, se habían instalado en la mansión que tan familiar les resultaba.

Las dos primas de Pamela estaban muy contentas con ella.

La campaña de la esposa del director del banco, la del abogado Jones y la del propietario del hotel, no cesaba sin que Pamela tuviera la menor idea de ello.

Jones solía visitarla y siempre salía admirado de su conversación con la heredera.

Después de una de estas visitas se encontró el abogado con uno de los dueños de plantación y propietario de los más importantes almacenes de la región.

—Me han dicho que ha llegado la heredera de Madison. ¿Es verdad?

—Sí. Ahora vengo de hablar con ella

precisamente.

—¿Es cierto que es tan guapa como dicen?

—Lo es. Le puedo asegurar que es la mujer más bonita que he conocido.

—¡Hum...! Oyéndole a usted empiezo a creérmelo yo también.

—Será mucho más firme su creencia cuando la vea —añadió el abogado al tiempo de despedirse.

Sam McGraw, que era el dueño de una de las plantaciones más importantes de toda Louisiana, entró en un saloon.

Allí estaban varios de sus empleados con el capataz.

Habló con ellos de lo que le había dicho el abogado Jones.

—Hemos oído hablar de ella.

Seguían hablando de este tema, cuando uno de los trabajadores del rico propietario llamó desde la puerta a su patrón, diciendo al estar junto a él:

—¡Mire! ¡Esa debe ser...! ¡Vaya estatura que tiene!

—Sí; supongo que es ella —replicó McGraw.

Sin pérdida de tiempo, salió decidido a su encuentro.

Pamela le miró intrigada.

—Supongo que es usted la hija secreta de Madison, ¿verdad...? —Dijo McGraw a modo de saludo.

—Soy la hija de Paul Madison.

—Me llamo Sam McGraw. Y tengo una plantación no muy lejos de la suya.

—Encantada.

—He oído hablar de usted al llegar a la ciudad y he pensado que debíamos conocemos cuanto antes. Precisamente ahora hablaba con mi capataz y algunos de mis trabajadores sobre el algodón que hay en su plantación. Si cree que mis consejos en esos asuntos le pueden servir de algo, no tiene más que hacérmelo saber. Espero me permita visitarla alguna vez. Su padre era un buen amigo mío.

—Gracias por su oferta, mister McGraw, pero creo que no será necesario.

—Estos asuntos no son sin duda a los que debe estar habituada.

—Espero no tener mayores problemas. Pero, otra vez gracias. He tenido gusto en saludarle.

Pamela sonrió amable y se marchó, ignorando la mano que McGraw le tendía como despedida.

Si no hubiera testigo, el elegante McGraw, no habría dicho nada, pero la presencia de algunos de sus empleados y del capataz a la puerta del local y de otros curiosos que estaban en la calle, y ante otros locales, enfureció a Sam McGraw, que amenazó con voz potente:

—¡Te pesará este desprecio!

Seguidamente se reunió en silencio con sus hombres, que no se atrevieron a comentar lo del desprecio porque se daban cuenta de lo disgustado que estaba.

—¡Parece una de esas sirenas que dicen habitan en el fondo del Mississippi! —Exclamó el capataz—. No hay duda que es la mujer más bonita que he visto.

Sam no dijo nada. Fue hasta el mostrador y pidió una botella de whisky.

—¿Qué le ha parecido a usted la heredera del viejo Madison? —Dijo el dueño del local.

—Muy bonita.

—Creo que no se ha dado cuenta que usted le tendió la mano. No debe enfadarse con ella.

McGraw pensó que esto era posible, y replicó:

—Reconozco que me había disgustado con ella. Pero es posible que tengas razón. No había pensado en ello.

Después, todos reunidos, comentaron la belleza de Pamela.

Llegaron otros propietarios de campos de algodón y hablaron de negocios, comentando las existencias que había en los almacenes de Madison.

—Si esa joven decide vender, suministrará algodón por una larga temporada a los compradores —dijo uno.

—Ahora tendremos que adelantarnos nosotros —repuso Sam.

Uno de los presentes, comentó:

—¡Estarán muy disgustados Steve y Charles! Esto no se lo esperaban. Esperaban ser ellos los encargados de administrar la fortuna de Madison.

—Han vuelto a la mansión. Les ha admitido ella. Y dicen que les encargará de los asuntos navieros de Nueva Orleans.

—Pero no es lo mismo que ser los dueños de todo.

Acabaron poniéndose de acuerdo los cosecheros de algodón para ofertar a los compradores esta mercancía.

Dos días después los trabajadores de la plantación Madison esperaban que Pamela se levantara para conocerla.

La heredera apareció en la puerta de la mansión y contempló a todos con una sonrisa.

George iba diciendo el nombre de cada uno.

—Podéis marcharos a vuestros trabajos —añadió el capataz.

Los trabajadores así lo hicieron comentando lo bonita que era la patrona.

—Voy a dar un paseo por la plantación —dijo Pamela—. ¿Quieres ordenar que me preparen un caballo?

—¿Un caballo...? —Exclamó—. ¿No cree que será muy peligroso?

—¿Por qué motivo...?

—Hay que tener costumbre de montar.

—No te preocupes. Sabré mantenerme sobre la silla. Y a pie sería una labor muy lenta conocer toda la plantación, ¿no cree?

—Desde luego. Pero puedo llevarla yo a la grupa del mío. Podrá con los dos.

—¡No! Prefiero montar sola. No tema. Ya verá como no pasa nada.

Se miró la ropa y añadió:

—Lo que necesito es cambiarme de ropa para hacerlo con comodidad. Voy a ponerme otra.

A los pocos minutos reapareció vestida con pantalones y altas botas de montar. Un sombrero de ancha ala daba protección a su largo y negro cabello.

Parecía otra mujer distinta.

Después, rechazando la ayuda que le ofreció el capataz, montó sobre el caballo que le habían preparado.

Acto seguido se marcharon los dos para recorrer parte de la plantación, ya que era muy extensa para poder recorrerla toda en un día.

Pamela, al llegar a los lugares donde había potrancos, se detenía y hacía caminar muy despacio a su montura. Dijo en tono satisfecho:

—Tienen una fina estampa esos potrancos. Creo que, si son de la calidad que me han hablado, valen una verdadera fortuna.

El capataz, contestó:

—Así es. ¡Ya lo creo que valen una fortuna! El abogado conoce a la perfección lo que costaron los sementales que adquirió su padre en Inglaterra y que llegaron en barco a Baton Rouge.

Los que atendían la valiosa ganadería les saludaban con la mano.

—¿En qué parte del rancho está la plantación de mister McGraw? —Preguntó Pamela.

Después le explicó al capataz cómo se había producido el encuentro entre ella y el influyente vecino.

—Está algo lejos de aquí.

—Me dijo que éramos vecinos.

—No exactamente. Hay otra extensa plantación entre la suya y la de Sam McGraw.

Después de una breve pausa, añadió George:

—Lo que sucede es que mister McGraw está tras esa plantación que separa ésta de la suya.

—¿Para qué...?

—Para conseguir algodón de mejor calidad.

—¿Tan malas son sus tierras?

—Su padre pudo hacerse con ellas y las rechazó. El mejor algodón de todo el territorio de Louisiana se cosecha en esta plantación.

Estuvieron recorriendo parte de la misma.

A la hora del almuerzo, la joven habló con la mujer que habían dejado en la casa para atender la misma y ayudar a Pamela.

Había dos cubiertos en la mesa cuando Pamela entró en el comedor.

—¿Para quién es este cubierto? —Preguntó.

—Me ha dicho George que comerá aquí con usted.

—Pues dígale que no será así. Solamente comeré yo. Y en lo sucesivo, en todo lo que tenga relación con esta casa y conmigo, soy solamente yo la que da las órdenes. ¿Entendido...?

—Sí; así será —replicó la mujer, que se hallaba un poco confundida.

Mientras, George estaba siendo interrogado por los trabajadores y cowboys que atendían a los potrancos.

—Es amable y con mi ayuda, aprenderá pronto todo lo que deba saber sobre sus muchas propiedades —contestó.

George, al decirlo, sonreía ufano.

—¡Vaya suerte la tuya! —Exclamó un compañero.

A continuación, el capataz se dirigió decidido a la vivienda principal.

Entró en el comedor con paso seguro y como si estuviera en su propia casa. Iba tarareando una conocida canción de la época.

—¡Un momento...! —Dijo Pamela desde la mesa—. Que sea la última vez que entra en esta casa sin haber pedido permiso y contar con mi autorización. Y en lo que respecta a las comidas, no me gusta hacerlo con nadie en la mesa. Vaya a comer con el personal, o donde le plazca, pero no aquí.

—Verá: he dicho a los muchachos que iba a comer aquí y ahora no está bien que me vean volver.

—Lo siento; eso es asunto suyo. Ya sabe, no vuelva a entrar en esta casa sin contar con mi autorización.

George abandonó el comedor completamente furioso.

Regresó a la vivienda del personal.

Todos le miraron curiosos porque le conocían y se daban cuenta que estaba realmente enfadado.

—¿Has tenido problemas con la gran patrona? —Preguntó uno de ellos.

—No me ha permitido comer con ella.

Muchos sonrieron muy maliciosamente. Pero como le conocían, no se atrevieron a decir nada más al ver el rostro del capataz.

Se sentó a la mesa para que el cocinero le atendiera también a él.

No había hecho más que empezar a comer, cuando llegó la empleada que cuidaba la vivienda principal para decir:

—¡George...! Tienes que sacar tus efectos personales de la habitación que has venido ocupando hasta ahora. Ella no quiere que vivas allí. Dice que tu sitio está aquí junto con los demás cowboys.

Todos le miraban en silencio.

—Luego me ocuparé de eso y hablaré con ella —dijo.

Aunque nadie hablaba, George estaba seguro que la mayoría de los trabajadores se alegraban. Y esto era lo que más le enfurecía.

—¡Qué se habrá creído esa maldita nueva rica! —Exclamó al levantarse después de comer.

Se dirigió a la otra vivienda, pero Pamela no estaba en ella.

Recogió lo que tenía en la habitación, que era una de las mejores de la mansión y que venía ocupando desde la muerte de Madison.

—¡No comprendo por qué motivo me hace salir de aquí...! Le sobran habitaciones —Dijo muy enfadado a la sirvienta que cuidaba la casa.

—Tienes que darte cuenta que ella es muy joven y podrían pensar mal.

—Pero el capataz no puede estar en la misma vivienda que el personal.

—No lo sé. Lo único que me interesa saber es que la patrona no quiere que sigas aquí, razón por la que ya puedes empezar a llevar todo lo que tienes en la habitación.

Así lo hizo George, que más tarde era observado por el personal trabajador de la plantación.

Dos de los cowboys que cuidaban los potrancos, que eran muy amigos del capataz, le rodearon para comentar la actitud de la joven.

—Tenemos que darle una dura lección —dijo George—. Habla como si entendiera de todo.

—Lo que tenemos que hacer es hablar con uno de esos compradores de algodón que tan interesados están en los potrancos, y le facilitamos unos cuantos ejemplares.

Capítulo 5

—Si hablas con Kevin antes, es muy posible que los hierros con los que ya han sido marcados los potrancos no supongan ninguna dificultad. El pagará menos, pero comprará.

George terminó por ceder y aseguró que hablaría con su amigo el comprador de algodón.

Kevin Dexter se dedicaba a comprar algodón de la mejor calidad para enviarlo por vía fluvial a sus almacenes de Nueva Orleans.

No queriendo perder mucho tiempo, George se dirigió seguidamente a la ciudad y encontró a Kevin en el local que éste iba a diario.

La conversación fue breve. Se pusieron de acuerdo en pocos minutos.

—Por lo de los hierros no debes preocuparte mucho —dijo el comprador—. Si me prometes conseguirme una partida importante del algodón que se almacena en las naves de Madison, pagaré a buen precio esos potrancos.

Sellaron el compromiso con un apretón de manos.

Al regreso de George esa noche, dio cuenta a sus dos íntimos de lo hablado con el famoso Kevin

Dexter.

Pasaron tres días, en los que Pamela no dejaba de pasear en todas direcciones.

Se iba familiarizando con la gran extensión cultivada y la zona dedicada a la cría de los purasangre.

Llevaba nueve días en la plantación, cuando dijo al capataz:

—He observado que hay muchos potrancos sin marcar. ¿A qué están esperando para hacerlo?

—Todavía no es tiempo. Esos caballos precisan un tratamiento muy especial.

—Pues yo entiendo que tienen que ser marcados todos. En un par de días quiero ver todos los potrancos con los hierros de la plantación.

Cuando George, enfadado, daba cuenta en el comedor del personal de esta orden, añadió:

—Además de su ignorancia, es terca.

—Nada de eso. Está demostrando todo lo contrario al dar esa orden —comentó el cocinero—. Tú sabes que, de haber vivido el patrón, ya estarían todos los potrancos con los hierros de esta plantación. Lo ha estado comentando conmigo y la he aconsejado que se marquen todos los potrancos.

—¿Porque lo has hecho...? No tenías que meterte en algo que no tiene que ver nada con las comidas.

—Me ha pedido mi opinión y he sido sincero. No sé la razón por la que no has ordenado hace tiempo que se marquen todos esos caballos.

—¡Hablas demasiado! Podría despedirte por meterte en asuntos que no te importan. Recuerda que yo soy el capataz —le gritó George.

El cocinero guardó silencio, pero le miró con mucho desagrado.

Cuando Pamela visitó la plantación de la que había hablado George diciendo que McGraw quería adquirirlo, le dijeron que el propietario estaba lejos de allí.

—No importa que esté ausente el propietario —dijo ella a la mujer que le hablaba—. Es de suponer que hay alguien encargado de esta plantación.

—Tampoco está aquí en este momento.

—Está bien. Vendré mañana.

—Joel tardará bastante más en regresar. Es posible que no lo haga hasta dentro de un par de semanas.

La mujer que atendía a Pamela, la invitó a entrar en la casa. Cuando ambas estuvieron solas, dijo aquella mujer:

—Me tiene muy preocupada de la ausencia de Joel. Le he escrito una carta y no ha respondido siquiera. No me gusta lo que está pasando en esta plantación.

Pamela no se atrevía a preguntar nada. Pero la otra mujer estaba decidida a hablar.

—Me preocupa Weston. No sé por qué motivo le dejó Joel encargado de todo esto. No ignoraba qué clase de persona es. Se conocen de siempre y nunca ha sido bueno este granuja de Weston.

Pamela continuó escuchando en silencio.

—Me sorprende mucho que Joel no haya respondido a mi carta.

—¿Sabe el capataz que le ha escrito?

—¡No, no...! —Exclamó la mujer muy asustada—. Si lo supiera me mataría.

—Creo que está usted demasiado asustada para ver las cosas con serenidad.

La mujer la invito a comer. Pamela aceptó. Mientras lo hacían hablaron mucho.

Cuando llegó Weston, miró sorprendido a Pamela. Después, sonriendo, dijo:

—Supongo que es la hija secreta del viejo Madison.

La mujer que cuidaba la casa, que se llamaba Melody, en tono de reproche, le dijo:

—Lo de «secreta» te lo has podido ahorrar. Toda la ciudad sabe que es hija de Madison.

Weston, sin hacer caso de lo que había dicho Melody, añadió con una sonrisa:

—Veo que mister McGraw no mintió al decir que era la mujer más bonita que había conocido. Aunque está enfadado porque no aceptó su mano cuando se conocieron. Claro que supone que no se dio cuenta.

—Así fue —mintió ella.

—Le voy a invitar para que vaya a presenciar el marcaje de esos potrancos tan famosos. Es el que va a adquirir esa plantación.

—¿Es que está en venta? No lo sabía —exclamó Pamela sorprendida.

—¡Ni nunca jamás lo estará mientras Joel viva...! —Añadió Melody.

—No debe hacer caso de Melody. Está encariñada con estas tierras porque ha discurrido toda su vida en ellas. Pero no es la dueña.

—Tampoco lo eres tú.

—Joel hará lo que yo le aconseje. Venderá porque es una tontería mantener esta plantación cuando él está tan lejos y no piensa venir. Le hemos escrito hablando de la oferta de mister McGraw, que no puede ser más tentadora. Estoy seguro que aceptará.

Melody miró a Pamela, pero ésta desvió la vista para que Weston no sospechara nada.

Pamela, poniendo cara de ingenua, preguntó:

—¿Ofrecen mucho por esta plantación? Parece que tiene buenos cultivos.

—Treinta mil dólares sin contar lo que valga el algodón que tenemos almacenado.

Pamela miró sonriendo a Weston, añadiendo:

—No lo entiendo. ¿No ha dicho que se trataba de una oferta tentadora?

—¿Es que no es una bonita cantidad?

—¿Cuantos acres tiene esta gran plantación...? —Preguntó Pamela.

—Unos ochenta mil —respondió Melody.

—En ese caso, no es posible que ese caballero hable en serio. ¡Yo doblo esa cantidad si es que el propietario quiere vender...!

Weston abrió los ojos sorprendido.

—¡No sabe lo que dice...! —Exclamó.

—Mi oferta queda en pie. Puede hacérselo saber al propietario —dijo dirigiéndose a la mujer.

—Ya veo que Melody le ha estado hablando —dijo Weston en tono desagradable.

Pamela, añadió:

—Es usted el que me ha informado de todo. A partir de ahora, si ese caballero quiere esta plantación, debe aumentar mi oferta. No quiero pensar que usted estuviera de acuerdo con él para un robo tan descarado. Lo que ofrece mister McGraw, es un insulto.

—Usted no conoce esta plantación.

—Así es, y sin conocerla, ofrezco sesenta mil dólares. Es de suponer que entre una y otra proposición, se incline usted por la mía.

—Lo siento, pero no puedo hacer caso de su oferta. Lo ha dicho solamente por lo que Melody ha estado hablando con usted.

—No es así. Le informo que esta oferta la voy a hacer en la ciudad, ante las autoridades y el banco.

Weston estaba nervioso.

—¿Por qué tiene usted interés por esta plantación?

—Está junto a la mía. Así aumentaría los pastos para la cría de mis potrancos.

—Supongo que está bromeando. Esta plantación no vale esa cantidad.

—Pero, sin embargo, estoy dispuesta a pagarla mañana mismo. Tengo el dinero en el banco para hacerlo.

—Está complicando las cosas. Es mister McGraw el que estaba interesado en la compra y...

—No siga hablando. También estoy yo. Supongo que no irá a decir que prefiere treinta mil dólares a lo que yo ofrezco, ¿verdad...?

—Habrá que esperar a que regrese Joel.

—¿No dice que le han enviado el documento para que firme? No creo que lo haga por esa miseria.

Intervino, Melody, diciendo:

—Si estuviera aquí Joel y éste le ofreciese esa cantidad, le llevaría arrastrando de la cola de su caballo hasta la ciudad.

—¡Cállate! Vas a terminar por enfadarme, Melody.

—No me gusta meterme en asuntos ajenos, pero lo que hacía usted, amigo, es un robo descarado, de acuerdo sin duda con ese personaje. ¿Saben en la ciudad lo que ha ofrecido por esta plantación?

—No tenían por qué saber que mister McGraw desea estas tierras.

—¡Ya...! Comprendo —repuso Pamela—. Sin embargo, ustedes ya han hablado con un abogado. ¿Míster Jonas?

—No —intervino Melody—. Es mister Rosenberg. ¡Un verdadero granuja!

—¡Ah...! El que trató de impugnar el testamento de mi padre en favor de mis parientes.

—Y de ser yo uno de ellos, no crea que habría podido hacerse cargo de todo.

Pamela le miró sonriente.

—¿Porqué...?

—Porque su padre ha perjudicado a esos parientes.

—Es usted un tipo curioso, capataz. Pero no discutiré con usted sobre algo que no le incumbe. No me interesa lo que piense de mi padre. Dispuso de lo que era suyo como le vino en gana. Pero volvamos a lo que interesa que es mi oferta por esta plantación, en el caso de que su dueño quiera venderlo.

—No me interesa su oferta.

Pamela, con media sonrisa, replicó:

—No es usted el propietario. Esperaremos a saber qué piensa Joel Stuart. Es él quien tiene que decidir.

—Yo le escribiré —medió Melody.

—Ya lo has hecho antes y no te ha respondido —le dijo Weston.

Melody le miró atentamente y exclamó:

—Así que has interceptado mi carta, ¿verdad? Por eso no me ha contestado.

Pamela intervino, diciendo:

—La que yo le escriba llegará a su destino. No será depositada en el correo de la ciudad. Además, habrá que pensar en denunciar al encargado de ese servicio para que sea destituido y colgado.

—¡Un momento...! No he dicho que haya interceptado ninguna carta.

—En ese caso, ¿por qué sabes que le he escrito

y que no me ha respondido? —Replicó Melody.

Weston, en tono furioso, dijo:

—Será mejor que me marche, porque voy a perder la paciencia contigo, Melody.

—¡Todo un valiente! —Exclamó Pamela indignada—. ¿Es que sería capaz de maltratar a esta mujer que puede ser su madre? ¡Es usted un cobarde repulsivo!

—Mire, preciosidad, contenga la lengua, si no desea tener un disgusto.

Y Weston salió de la casa.

A los pocos minutos también lo hacía Pamela, que fue a la ciudad y visitó al sheriff, con el que habló ampliamente.

—Bueno... —Dijo el representante de la ley—, no creo que usted llegara a pagar por un capricho una cifra así por esa plantación que no vale lo que ofrece McGraw.

Pamela se echó a reír.

—¡Es usted un sheriff muy curioso! —Exclamó ella saliendo de la oficina.

Luego visitó a Jones para darle cuenta de lo que estaba sucediendo.

—Sé que no me estima su esposa y que habla mal de mí, pero estoy segura de que usted es una persona digna y honrada —comenzó diciendo la joven.

Escuchó atentamente el abogado y al final, dijo:

—No me ha gustado nunca ese caballero. Pero lo que no comprendo es que mister McGraw cuente con el apoyo del sheriff en este intento de robo de la plantación de Joel. No creo que él acceda a vender en esa ridícula cantidad. Le escribiré yo.

—No saldrá la carta, porque el encargado del correo es otro miserable —y refirió lo que sucedió con Weston y Melody.

El abogado, sonriendo, exclamó:

—Esto sí que es realmente interesante. Pero no debe preocuparse. Mi carta llegará a su destino.

A instancias de Pamela visitaron el banco para que la ciudad supiera que Joel tenía allí a su disposición sesenta mil dólares que ella ofrecía por su plantación.

Al poco tiempo de haber llegado la joven a la ciudad no se hablaba de otra cosa que no fuera la tentadora oferta que hacía por la plantación de Stuart.

Se comentó también la miserable oferta que había hecho McGraw y la actitud inconcebible de Weston al enviarle un escrito para que firmara Joel por esa cantidad que hacía sonrojar a las personas honradas.

Al siguiente día por la mañana, McGraw entró en el local al que iba siempre.

El barman le miró sonriente y dijo:

—¿Sabe que la hija secreta de Madison ha ofrecido sesenta mil dólares por la plantación de Stuart?

McGraw miró a su interlocutor y a los clientes.

—¿Bromeas? ¿Por qué quiere comprar ella esas tierras?

—Supo por Weston lo que usted ofrecía y elevó al doble su oferta.

—Es una ignorante.

—Pero está dispuesta a pagar esa cantidad. Ya ha depositado ese dinero en el banco a disposición de Joel Stuart si se decide a venderlo.

McGraw estaba nervioso.

—No comprendo esa locura. Ni la plantación que heredó de su padre vale ese dinero.

—Ya, pero ella está dispuesta a comprar.

McGraw, sonriendo, replicó:

—Es posible que haya llegado tarde. Enviamos el escrito de venta a Joel para que lo devuelva firmado. Weston es su amigo. Hará lo que él le aconseje.

—Weston no lo va a pasar nada bien con Joel, cuando conozca esta nueva oferta.

—Si ya ha firmado, de nada servirá lo que pueda decir o pensar.

—No creo que Joel acepte esa cantidad. ¿Por qué no ofreció usted más?

—Porque no creo que esas tierras lo valgan. Bueno, si recibo el escrito firmado, después se lo venderé yo a esa «pécora» ignorante.

—Más vale que no llegue a oídos de esa joven que la ha llamado «pécora». Y no la considere ignorante. Ella sabe muy bien lo que quiere comprar. Cualquier terreno desértico de esta región vale mucho más que lo ofrecido por usted. Por su actitud, supongo que Weston no le ha dicho cómo es Joel enfadado, ¿verdad?

—¿Está tratando de asustarme...? —Replicó McGraw sonriendo.

—No es mi intención.

—Entonces, ¡cállese...!

Pero McGraw estaba intranquilo y nervioso.

Iba a marcharse para visitar a Weston cuando éste entró, diciendo que venía de su plantación, adonde había ido a buscarle.

—¿Qué hay de esa oferta de sesenta mil dólares? ¿Es cierto...? —Dijo a modo de saludo McGraw.

—Sí; es cierto que esa loca está dispuesta a pagar por esa cantidad y ahora está Jones por medio. Creo que ha mandado llamar a Joel.

—Ya sabes lo que hay que hacer con la carta.

—En esta ocasión no la ha depositado en el correo. Viajará gratuitamente en uno de los barcos propiedad de esa muchacha hasta Nueva Orleans y desde allí avisará a Joel por telégrafo. Es lo que he oído comentar a unos empleados de la naviera Madison.

—Es más que posible que tu amigo Joel haya firmado el documento que le enviamos y que ya esté en camino de esta ciudad.

—¡Qué mala suerte...! ¡Esa maldita muchacha lo ha echado todo a rodar...!

—Nos estamos descuidando con ella. Creo que los muchachos deben encargarse de prestarle más atención a su belleza. De esa manera, cuando llegue Joel no habrá quien pueda mantener esa oferta.

—Sí, así es. Eso es lo que debe hacerse y sin perder mucho tiempo.

George está muy disgustado con Pamela porque no le dejaba comer ni entrar en la vivienda principal.

McGraw sonreía de satisfacción.

Marcharon los dos juntos y mientras caminaban iban planeando la forma de actuar.

Sin embargo, cometieron un error: entrar en la oficina del sheriff.

Estaban los tres conversando animadamente cuando se abrió la puerta y entró Pamela acompañada por el juez a quien la joven dijo:

—¿Se convence ahora...? Ahí tiene juntos a los tres amigos. Esto demuestra que están de total acuerdo. Pero no podrán impedir que pague lo que ofrecí por la plantación que ellos quieren.

El juez interrogó:

—¿Es verdad que ha ofrecido usted treinta mil dólares por la plantación de Joel Stuart, mister McGraw?

—¿Desde cuándo se considera delito ofrecer la cantidad que uno entienda que vale?

—Nadie le está acusando, mister McGraw. Aunque no sé cómo pensará el dueño de esa plantación en estos momentos.

—¿Creen que Joel se come a todas las personas? —Replicó McGraw.

Capítulo 6

Pamela se echó a reír y exclamó:

—¡Vamos, honorable juez...! ¿Es que piensas seguir soportando el olor a cobardía que despiden estos tres...?

Y salió de la oficina, seguida por el juez.

Weston corrió tras ellos y cogió, ya en la calle y ante curiosos, a Pamela por un brazo, gritando:

—¡No vuelva a llamarme cobarde o se acordará de mí...! ¿Está claro?

Pamela, con la otra mano, le golpeó hábilmente en el hígado de una manera violenta, obligándole a encogerse por el dolor.

Acto seguido, rápidamente asestó un segundo golpe, más duro aún en el mentón, para continuar con ambas manos el castigo.

Los curiosos creían que la sorpresa por ser una mujer la que golpeaba era lo que tenía así a Weston. Pero la verdad era que sus terribles golpes estaban desfigurando el rostro de Weston.

El sheriff hizo intención de empuñar el Colt, pero al ver la actitud de los testigos, desistió de ello.

Pamela, exclamó:

—¿Es que iba a disparar sobre mí? ¡Qué

cobarde...! ¡Ve que estoy sin armas y me iba a asesinar...!

El de la placa tuvo que recluirse de un salto en la oficina para evitar su linchamiento. Empezó a pedir perdón desde el interior.

Varios disparos hicieron saltar los cristales de la ventana.

El sheriff, temblando de miedo, buscó protección bajo su mesa de trabajo.

Fue Pamela la que tranquilizó a los exaltados testigos, pero no fue una labor sencilla.

Al día siguiente, muy temprano, el de la placa aclaró en el saloon que más solía frecuentar:

—No creáis que ayer iba a disparar sobre esa joven. ¿Cómo lo habéis podido creer?

—Ella te salvó la vida. Impidió que entraran en tu oficina para lincharle.

La entrada en esos momentos de unos cowboys de McGraw dio confianza y mucha tranquilidad al representante de la ley.

Uno de los que acababan de entrar, acercándose al sheriff, dijo:

—Sheriff, no debió permitir a la heredera del viejo Madison que golpeara como lo hizo a Weston, escudándose en su condición de mujer. Esa joven, sabiendo que el que estaba golpeando no iba a repeler la agresión que estaba sufriendo, se aprovechó con cobardía para dejarle en las condiciones que está.

—¿Estabas presente? —Preguntó uno.

—No importa para saber lo que ha pasado. Tuvo suerte de que no estábamos nosotros en la ciudad. Nuestro patrón nos ha contado lo sucedido y no creo que te atrevas a dudar de su palabra.

—De todas formas, todo eso ya es pasado. Es una tontería hablar más de ello.

—Nosotros no lo olvidaremos. Cuando veamos a esa heredera la trataremos como lo que ha demostrado ser en realidad. ¡Veremos si se atreve a intentar con nosotros lo que ha hecho con Weston...!

Los hombres de McGraw reían escandalosamente.

—Habrá que verla cuando sea arrastrada. ¡Será un honor para Baton Rouge que sus calles sean barridas por las carnes de esa belleza!

El sheriff, en su cobardía, sonreía de estas palabras.

Un empleado de Pamela, que hacía pocos momentos que había entrado en el saloon, seguro de que le estaban provocando a él, se marchó inmediatamente.

Al llegar a la plantación dio cuenta a la patrona de lo que sucedía en la ciudad.

Entre el personal trabajador había mucha división de opiniones, pero para la mayoría lo que hizo con Weston era lo más justo.

Solamente George y sus dos íntimos manifestaron que la patrona había abusado de su condición de mujer.

La mujer que estaba allí informó a Pamela de esta actitud del capataz y los otros dos.

A la hora de la comida, se presentó en el comedor del personal.

Levantando el tono de voz, dijo:

—¡George...! Creo que considera un abuso lo que hice con el cobarde de Weston. ¿Me equivoco?

—¡Verá, patrona...! Entiendo que abusó de palabra y obra de su condición de mujer.

—¿Sabe por qué fue todo lo sucedido?

—Es natural que disguste a Weston que después de haber enviado a Joel un escrito con una oferta aparezca usted ofreciendo exactamente el doble, con lo que Joel puede pensar que su amigo Weston le engañaba.

—¿Avisaron a alguien que la plantación se vendía?

—No podíamos hacerlo porque todavía no se sabe qué decisión tomará Joel.

—Sin embargo, lo callaron y se apresuraron a enviar un documento con esa miserable oferta. Les ha dolido que yo haya doblado la cantidad. Con ello estropeo un robo que habían planeado.

—¿Porque dice eso? No es un robo. Le informaron de la oferta de McGraw.

—Pero al conocer Weston la propuesta que hice, como encargado de la plantación que es, debía alegrarse pensando en el propietario, ¿no lo cree así?

—Por encima de este suceso, está la seriedad y lealtad de Weston.

—¡Vamos, capataz, veo que es tan cobarde como él...! ¡No lo quiero a mi servicio! Así que ya puede ir preparando sus cosas para largarse. Mañana no quiero verle por aquí. Ustedes, deben elegir el que debe ocupar la vacante de ahora en adelante. ¡Ah...! Y esos dos incondicionales suyos están despedidos también.

Acto seguido, la joven salió antes de que George hubiera reaccionado.

Fue el centro de todas las miradas. Instantes después, en tono despectivo, dijo:

—Si cree que voy a marcharme porque ella lo diga, está equivocada. Sé que hay otro testamento del viejo Madison en el que deja herederos a sus sobrinos y también a esta muchacha, pero a partes iguales; así que tendrán que despedirme también los otros.

—Yo me iría —dijo uno—. Es ella la única heredera. No te compliques la vida. Sabemos por el abogado Jonas que el testamento era completamente legal.

—Y yo digo que sé que hay otro testamento posterior.

—¡Es muy interesante...! —Dijo Pamela volviendo a aparecer—. Así que hay otro testamento de mi padre, ¿no?

—Claro que lo hay. Lo tiene mister Rosenberg.

Pamela se echó a reír a carcajadas.

—Le recuerdo nuevamente que mañana no debe estar aquí. ¡Ah...! Si comete el error de quedarse no podrá marcharse ya.

Unos minutos más tarde, cabalgaba George en dirección a la ciudad.

Visitó a Rosenberg, que había regresado de Nueva Orleans, y los dos se dirigieron a la mansión de los Madison.

Allí hablaron con Steve y Charles.

—Ha llegado el momento de hacer valer ese otro testamento —dijo Rosenberg—. Podéis tener más que ella en la herencia. Está bien hecha la falsificación. No hay medio de poder aclarar que no fue firmado y escrito por el viejo Madison, vuestro pariente.

Los esposos de las herederas estaban dudando. Pero la ambición femenina les decidió.

Muy mal aconsejados por sus esposas, accedieron a lo que Rosenberg proponía.

Acordaron visitar al juez al día siguiente.

Y así lo hicieron. Iban los dos acompañados por el tramposo abogado.

En el juzgado el juez les escuchó en completo silencio y examinó el nuevo testamento.

—¿Dónde lo habéis encontrado? —Preguntó.

—Lo tenía mister Woods, el juez de Nueva Orleans. Se lo entregó nuestro pariente.

—¡Está bien...! Me quedo con él y llamaré a Jonas.

—No puedo dejarle este documento, que necesitaremos para recurrir en favor de mis defendidos.

El juez, sonriendo, replicó:

—Si no tengo este documento en mi poder, no puedo hacer nada. Creo que ganaríais mucho con dejar las cosas como están.

—¡Un momento! ¿Es que vamos a renunciar a lo que es nuestro? —Dijo Charles.

—Está bien. Si dejáis el documento, consultaré con Jonas; si no lo dejáis, no diré una palabra y todo seguirá igual. Os daré un recibo del mismo.

Rosenberg hizo señas de que podían acceder.

—Si nos entrega un justificante, podrá quedarse con él —dijo Rosenberg en nombre de los dos.

El juez redactó el recibo y, al leerlo Rosenberg, exclamó, molesto:

—¡Un momento...! Aquí dice que es un «posible» nuevo testamento.

—Eso es lo que es hasta que un jurado determine la legalidad de este «supuesto» testamento. Es de suponer que también esté registrado en Nueva Orleans como el anterior.

—¡No, no...! En el recibo debe decir que entregamos las últimas voluntades del viejo Madison.

—Lo siento, abogado. Usted sabe que no puedo hacerlo. Si me ha creído tonto, peor para usted. Ahí tiene el recibo extendido. Si quiere lo coge, pero no espere nada más. Y ahora, déjenme continuar con mi trabajo.

El juez, guardó el «supuesto» nuevo testamento que le habían llevado.

Pero, Rosenberg, le dijo:

—¡No lo guarde! No vamos a dejar aquí el testamento. Me lo llevo —dijo Rosenberg.

—Lo siento mucho, pero han accedido a dejarlo. No me gustan los juegos. Y ahora, ¡váyanse...!

Acto seguido les hizo salir a los tres, y, al estar en la calle, dijo Steve:

—Creo que nos vamos a arrepentir de haber entregado ese documento al juez.

—No temáis. Ese documento está muy bien hecho. En cuanto Jones lo vea admitirá, sin dudarlo, que está escrito por Madison.

Poco más tarde, Jones fue llamado por el juez.

Cuando acudió al despacho y leyó el nuevo testamento, se echó a reír. Luego, exclamó:

—¡Esto es obra de Wallace...! Se van a buscar una desagradable complicación esos tontos. ¡Lo va a pasar muy mal Rosenberg! Ha ido a Nueva Orleans a conseguir esta falsificación.

—¡Es hora que le apliquen una cuerda al cuello!

—¡Esos sinvergüenzas no conocen al nuevo inspector federal que ha nombrado el gobernador...! Si Rosenberg supiera quién es, ni siquiera lo habría intentado. De momento, vas a hacer salir a esa familia de la mansión Madison. Iré a hablar con Pamela.

Para Pamela era una sorpresa saber que el abogado estaba en la plantación. Al hablar con él y oír lo que decía se quedó muy seria.

—Creo que esos inútiles deben ser tratados de

otro modo. Su ingratitud será castigada. ¡Me estoy cansando y ya estoy perdiendo la paciencia con tanto cobarde!

—He pedido al juez que haga salir a esos granujas de la mansión.

—Ha hecho muy bien. Será mejor que sea yo la que les haga buscarse un nuevo hospedaje.

—Deja que todo se haga de manera legal. Es lo que ellos quieren.

Pamela se echó a reír. Luego exclamó:

—¡Tiene mucha razón! Pero me cuesta hacerlo porque siempre he estado de acuerdo con la frase tan repetida de «ingratitud castigada».

Hablaron después de George.

—Supongo que está de parte de esos granujas. Fue el primero que habló de ese testamento.

—Deben estar de acuerdo todos ellos —exclamó el abogado—. Pero no van a conseguir nada.

—Van a conseguir que les cuelguen, porque cuando todo se aclare les iré ajustando una cuerda al cuello a todos ellos. Me encargaré de que su ingratitud sea castigada.

—¿Se ha ido George?

—No lo sé. No me han dicho nada todavía. Iremos a hablar con el personal.

Los trabajadores estaban aseándose para iniciar la jornada de trabajo.

George, que desayunaba tranquilamente, se puso de pie en un salto al ver al abogado y a la patrona.

—¿Han elegido al nuevo capataz? —Preguntó ella.

Uno de los presentes, replicó:

—George dice que no se marcha. Que está aquí en representación de los parientes de su padre.

—Me encargó anoche mister Rosenberg que así lo hiciera constar —justificó George.

Pamela, no dijo nada. Dio media vuelta y se dirigió a su vivienda. No tardó mucho en regresar. Al entrar de nuevo en el comedor llevaba armas a los costados y una cuerda en la mano.

—Creo que ayer le ordené que abandonara esta

plantación, ¿verdad?

El capataz quedó aislado.

Sin asustarse, George, con gran desprecio, replicó:

—¡Mire, heredera! ¡No me canse! No pienso dejarme sorprender como Wester. ¡A pesar de que es mujer, la considero tan peligrosa como las serpientes de bellos colores!

Instantes después, la cuerda se ajustó al cuello de George. Éste, gritaba como loco a sus amigos que dispararan sobre ella.

Uno de los dos incondicionales del capataz, quiso hacer lo que le pedía el lazado por el cuello.

Fue una sorpresa general oír el disparo que la joven hizo con la mano derecha sin dejar de tirar con la otra de la cuerda que oprimió el cuello de George.

George, desesperadamente, gritaba:

—¡Apunta mejor, idiota! ¡Vuelve a disparar! ¡Vamos...! ¿No ves que has fallado...?

No podía ver que uno de sus amigos estaba en el suelo con la boca destrozada y que ya no podría traicionar a nadie más.

El otro amigo retrocedió aterrado y al estar cerca de la puerta echó a correr y saltó sobre su caballo para alejarse de allí.

Unos minutos después, en un carretón iban el muerto y George, que a pesar del castigo recibido continuaba respirando.

Una vez estuvieron en la ciudad llevaron a una clínica al depuesto capataz.

El doctor que le atendió se asustó de su estado y no se explicaba que continuara con vida.

El muerto fue llevado a la funeraria, donde el enterrador se hizo cargo del mismo.

La ciudad ya sabía lo sucedido en la plantación por haberlo propagado el que escapó, el cual, estaba tan asustado que dijo toda la verdad.

Rosenberg estaba en la oficina del sheriff cuando el carretón llegó a la ciudad.

—Es una fatalidad que estuviera Jones allí y que ese muchacho haya confesado que la culpa es de

George, que quiso disparar sobre la muchacha.

—Tienes que presentarte allí y detener inmediatamente a esa «pécora» —dijo.

—No puedo hacerlo. Te repito que la presencia de Jones y de los muchos testigos que hubo, ha impedido que cometa la torpeza que me solicitas y que podría provocar mi linchamiento.

Fueron interrumpidos por la llegada de un amigo del sheriff que iba a darle cuenta de que habían llevado a George destrozado y el cuerpo sin vida de un cowboy.

—¿Es que no vas a detener a esa impostora?

—¿Tan poco me estimas...? ¡Pues claro que no...! Ni siquiera pienso intentarlo.

—Abandona esa placa. ¡Eres un cobarde!

—Ya veremos qué haces tú cuando te veas delante de esa joven. Ha engañado a todos. Resulta que sabe manejar el lazo y las armas como nadie ha visto hacerlo.

—No creas que a mí me va a asustar esa maldita loca —replicó Rosenberg.

—No vas a conseguir nada con la historia de ese nuevo testamento. Jones no se deja engañar. Conoce mejor que tú a Wallace. ¿Sabías que es paisano del abogado? Le ha defendido varias veces por falsificación de documentos. Si habla con él, le dirá la verdad.

Rosenberg quedó pensativo. Lo que acaba de oír le preocupaba mucho.

Si Wallace confesaba que había sido él quien le pidió que hiciera la falsificación le podría costar la vida.

Además, no había sido previsor. No había tomado la precaución de encargar a Woods que lo silenciara para evitar ese peligro.

Asustado, siguió pensando en lo del registro de Nueva Orleans. Empezaba a darse cuenta de que no iba a conseguir nada por no haber meditado en el enemigo que tenía en la ciudad.

Jones era un hombre al que sería muy difícil poder engañarle. Si se demostraba la falsificación, él sería linchado porque sabía que aprovecharían cualquier circunstancia para colgarlo. Se daba cuenta de que, en la ciudad, todos le odiaban.

Nunca había sentido tanto miedo.

Pero se daba cuenta de que dado el primer paso era tarde para arrepentirse. La única forma de evitar que sospecharan la verdad, era insistir y seguir adelante.

Por eso volvió a solicitar que el de la placa detuviera a la muchacha.

Sin embargo, la detención de Pamela no iba a resolver el problema.

Rosenberg se marchó de la oficina del sheriff para buscar a los hombres de McGraw que estuvieran en la ciudad.

Era este personaje el que debía dar a la joven la lección que merecía y que para él suponía la mejor solución.

Entró en el saloon de Jonathan y buscó a los hombres que le interesaban sin encontrar a ninguno.

Jonathan, que estaba sentado ante una mesa próxima al mostrador, le llamó para que se sentara con él.

Capítulo 7

—Esa muchacha os va a dar muchos quebraderos de cabeza —dijo Jonathan—. No es lo que parecía. ¿Qué pensáis hacer?

—Lo solucionaré. Se hará lo que interese hacer.

—¡Cuidado con Jones...!

Rosenberg, molesto, replicó:

—Yo no estoy haciendo nada más que defender los intereses de mis clientes.

—Pero ahora, estos clientes están demasiado asustados. Han sido acogidos por McGraw para que, al menos de momento, residan en su plantación. A mí me parece que, por hacerte caso, han perdido mucho más que unos cuantos acres.

—Soy abogado y entiendo de leyes.

—Todo Baton Rouge sospecha que has ido a ver a Wallace. Nadie cree en ese testamento que tenéis. ¿Por qué no abandonas la ciudad una larga temporada? Lo vas a pasar muy mal.

Rosenberg, enfadado, se levantó de la mesa, mientras decía:

—¿Por qué motivo iba a marcharme? Debo defender lo que es de los sobrinos de Madison.

Jonathan hizo un movimiento negativo con la

cabeza y se encogió de hombros.

Seguidamente vio a Weston apoyado en el mostrador y avanzó hacia él.

—¿Qué tal te encuentras, Weston? —Dijo a modo de saludo.

—Estoy bastante mejor.

—¡Cómo te puso esa joven...!

—No quiero hablar de ella hasta que esté en condiciones de devolver lo que hizo conmigo por sorpresa conmigo.

—Todos los testigos afirman que fue culpa tuya, ya que ibas a golpearla.

—¡Eso no es verdad...! Quería decirle que no repitiera lo de cobarde.

—¿Sabes lo que hizo con George?

—Me lo han contado los muchachos. También actuó con él por sorpresa.

—Tenéis que ir admitiendo que es una mujer realmente peligrosa, y, además, con una gran capacidad para dirigir los negocios que ha heredado de su padre. Os habéis equivocado todos con ella.

—Cuando esté en condiciones seré yo el que meta unas onzas de plomo en su cuerpo y, después, que alguien se atreva a criticarme.

—Hay que admitir que tu actitud respecto a la plantación de Joel es un tanto extraña.

—Me gusta ser un hombre serio. Y puesto que McGraw me había hecho una oferta, la cual inmediatamente transmití a Joel, debía esperar su respuesta antes de decirle lo que ella ofrecía.

—Pero si se tiene en cuenta la gran diferencia de una a otra, hay que pensar en un interés sospechoso.

—Pues no hay nada más que seriedad por mi parte.

—Está bien, hombre. ¡No te enfades conmigo! Era un simple comentario —repuso el del saloon.

Entró el jefe de personal de McGraw, que se acercó a saludar a Weston.

—Vengo de la casa del doctor y allí me han dicho que ya habías salido. Me alegra verte. Ya veo que estás bastante mejor.

—Sí; así es. El doctor consiguió aliviarme pronto los dolores.

—Mi patrón te invita a pasar unos días en su plantación hasta que te repongas del todo.

Jonathan, intervino, diciendo:

—No me gusta meterme en asuntos ajenos, pero, ¿no creéis que eso será mucho más sospechoso?

—No tiene nada de extraño que, siendo amigo de mi patrón, éste le invite a pasar unos días en la plantación.

—Allá vosotros.

Nuevos clientes se acercaban para preguntar a Weston por su estado.

Cuando entró el sheriff, le dijo Weston:

—Sheriff, ¡ignoraba que fuera tan cobarde...! ¡Está permitiendo a una mujer que haga lo que quiera...!

—¡Hum...! Cálmate y no sigas por ese camino. No creo que debamos reñir —observó el representante de la ley.

—¿Por qué no ha detenido a esa estúpida cobarde? Ha matado a uno y dejado medio muerto a dos.

—Pero siempre hay testigos diciendo que la culpa no es de ella —replicó el sheriff.

—Se dejan impresionar por su belleza, pero cuando yo pueda moverme con facilidad, ya me encargaré de que esa belleza quede deteriorada con mis golpes. ¿Hay respuesta de Joel?

—No me han dicho nada en correos.

—¡No lo entiendo! Debería haber respondido ya.

—Si ha recibido la carta de Jones y de Melody, es posible que se incline por la otra oferta. Lo que has debido hacer es escribir tú hablando de ella para que al venir no te pueda culpar de parcialidad.

—Si viene comprenderá que no podía hacer otra cosa que lo que hice. Mi obligación era transmitir la oferta que me hizo McGraw. Fue el primero y para mí ya estaba vendido.

—Eso no hay quien pueda creérselo. La propiedad no está vendida hasta que el dueño acepte la oferta y lo firme. Mira, Weston...

—¡No sigas...! Joel no vendrá. Estoy seguro de ello.

—Puede ser, pero, sin embargo, tampoco parece que piense vender. Te habría respondido.

—Es posible que se encontrara ausente de la casa de sus parientes cuando llegó mi carta.

Intervino el jefe de personal de McGraw, diciendo:

—Lo que no se puede entender es que la heredera haya ofrecido tanto dinero por una plantación que no es muy extensa. Esa joven no sabe qué hacer con el dinero que ha heredado.

—Y que, al parecer, no es solamente de ella. Tendrá que dar cuenta de todo lo que está haciendo a los otros herederos —contestó Weston,

Bebió y siguió conversando con los amigos.

Uno de los empleados de la plantación de Joel, donde él era encargado y administrador temporal, le dio cuenta de los asuntos de la misma.

Era el que Weston designó para ocupar su puesto durante su convalecencia.

—Supongo que la vieja Melody se habrá alegrado mucho de lo que me pasó, ¿no? —Preguntó Weston.

—No la he oído ningún comentario sobre ello.

—Yo sé que se habrá alegrado.

—¡Ah...! Se me olvidaba: ha llegado una carta. Debe de ser de Joel.

—¡Dámelo...! —Exclamó muy nervioso—. ¡Ya tenemos la respuesta...! Ahora que ofrezca esa muchacha lo que quiera. Ya no podrá hacer nada. Por lo que abulta, devuelve el documento firmado.

Rasgó el sobre con ansiedad. Sacó el papel que le habían enviado y miró al final, buscando la firma.

No había nada. La carta que venía con ese documento era muy corta. En dos líneas decía:

¡Eres un miserable!
Firmado: Joel

Aumentó su palidez considerablemente. Gracias

a los vendajes que cubrían su rostro no se dieron cuenta los testigos de esta circunstancia.

—¿Qué te dice...? ¿Ha firmado? —Exclamó nervioso el jefe de personal de McGraw.

—¡No...! ¡No ha firmado...!

—¿Qué dice?

—¡Nada...!

No hubo medio de hacerle decir nada más.

Jonathan le miraba y se dio cuenta de su gran nerviosismo.

A los pocos minutos anunció el capataz de McGraw, que a su vez era también su hombre de confianza, que debían marcharse.

Cuando salieron, comentó Jonathan:

—Me parece que Joel no ha aceptado la oferta y debe decirle algo que le ha puesto nervioso. Estaba temblando cuando guardó la carta en el bolsillo. Era de esperar que Joel no aceptara una oferta tan ridícula.

Al salir del saloon preguntó el jefe de personal o capataz de McGraw a Weston:

—¿Pasa algo...? ¿Malas noticias?

—Me llama miserable. Eso es lo único que ha escrito en el papel —confesó Weston.

—No veo por qué. No has hecho más que transmitirle la oferta de mi patrón.

—Ha sido informado de la otra oferta y yo le he silenciado. Por eso me llama miserable. Me echará de la plantación.

Poco después Weston y los demás iban camino al rancho de McGraw. Por hacerlo tan pronto no supo que Jones había recibido carta de Joel en la que le decía que Weston le rindiera cuentas de su gestión como encargado de despedirle.

Y además añadía, que si había motivos y no aclaraba a satisfacción su gestión, que fuera detenido hasta que él llegara a Baton Rouge.

Jones supo en el saloon de Jonathan que Weston se había marchado a la plantación de McGraw.

Buscó al juez y, acompañado por él, se dirigieron a las tierras de ese personaje.

En la plantación, cuando ellos llegaron, se

disponían a comer.

Weston estaba sentado a la mesa en compañía del elegante McGraw y del capataz de éste.

Se sorprendieron los tres de la visita. Y después de los saludos, dijo Jones:

—Vengo a verte a ti, Weston. He recibido carta de Joel y me pide que rindas cuentas ante mí de tu gestión al frente de sus tierras.

Acto seguido, para confirmar sus palabras, mostró la carta de Joel.

Weston quedó paralizado por la desagradable e inesperada sorpresa. Estaba muy asustado. Haciendo un gran esfuerzo, se repuso y dijo:

—Ahora mismo no estoy en condiciones de poder hacer nada. Cuando está mejor, pasaré por su despacho.

—Debes hacerlo cuanto antes; no esperes, mucho. Joel va a venir muy pronto y tiene que estar aclarado antes de que llegue.

Para Weston era una mala noticia. Mala y peligrosa. Quizá la menos esperada.

—Está bien. Cuando venga hablaré con él.

Poco después los visitantes abandonaron la vivienda. En cuanto lo hicieron, dijo McGraw:

—Es una contrariedad que venga ese muchacho ahora.

—Debéis hacer salir los potrancos cuanto antes. Una vez él se encuentre aquí, no será posible —dijo Weston.

—No quiero que al sospechar la verdad encuentren esos purasangre en mis tierras y me cuelguen sin haber ganado nada. Lo que voy a hacer es deshacerme lo antes posible de los que tengo de antes. Hablaré con Kevin para que los lleve a su plantación.

—Puede llevarse muchos más. Dale un buen precio.

—Olvidas que no estás ahora en tu puesto de trabajo.

—Pero los muchachos harán lo que yo les diga. Iré mañana a la plantación.

—Bueno, si tú estás allí, es otra cosa.

Weston, furioso, dijo:

—¡Todo se ha estropeado...! Han debido decirle lo de la oferta de esa maldita heredera. ¡Por eso me llama miserable...!

—¿Qué piensas decirle...?

—Lo que he dicho a todos.

—¿Crees que le engañarás?

—Eso espero... —Dijo Weston.

—Lo que me han dicho de él indica que es violento e impulsivo.

—Mucho más de lo que puedas imaginarte; pero yo le convenceré.

—Es una pena que se nos escapen esas tierras.

—Pero podrás ganar con el algodón y los potrancos. Vale una fortuna cada uno de esos potros. Nosotros los sacaremos de la plantación de esa muchacha y vosotros los haréis desaparecer a través de la vuestra. Por el momento hay que olvidarse de las tierras de Joel.

—¿Y si le informan a esa joven de la desaparición de sus potrancos, a los que está mimando tanto?

—Denunciará el robo. Eso es todo, pero no podrán encontrar un solo ejemplar.

A la mañana siguiente, Weston se dirigió a la plantación de Joel.

Melody le miraba con rostro serio y muy preocupado mientras estaba desmontando delante de la vivienda principal.

La mujer, le dijo:

—Ya he tenido carta de Joel. Le esperamos uno de estos días.

—También me ha escrito a mí.

—Entonces te comunica que estás destituido como encargado, ¿verdad? Ya está otro ocupando tu puesto. Ha sido él mismo en la carta, quien ha dado el nombre del que te va a sustituir.

Weston no esperaba esto.

—No me dice nada sobre eso —añadió.

—Se lo comunica a Jones y a mí. ¡Ah...! El nuevo encargado irá a verte a la plantación de mister McGraw. Debes darle cuenta de todo.

—¡Que no cuente conmigo! —Exclamó furioso—.

Si viene Joel, ha debido esperar a decirme las causas de esa decisión.

—Lo hará cuando llegue. Ya le conoces bien. No se morderá la lengua. Te dirá todo lo que tenga que decirte.

—Si estuviera ya bien, no accedería a dejar a otro de encargado.

—Tendrías que hacerlo porque es una orden del propietario.

El hombre que Joel designaba en sus cartas para que le eligieran encargado avanzaba hacia Weston.

—Siento esto, Weston —dijo a modo de saludó—, pero ha sido una decisión de Joel. Debes decirme cómo andan las cuentas.

—Pregunta en el banco. No pienso decirte nada. Lo tendrás que averiguar por ti mismo.

—Comprendo que estés tan disgustado. ¿Piensas quedarte con McGraw?

—Eso a ti no te interesa. Puede que decida volver a Nueva Orleans de donde no debí moverme.

—Supongo que no estás enterado, pero el ambiente del río ha cambiado mucho desde que tú lo abandonaste. Nada es como entonces. Si te hubieras portado bien con Joel, no hubiera sucedido esto.

—Hablaré con él tan pronto como llegue.

—Pero no puedes quedarte aquí. Es la orden que tengo.

—Supongo que se me permitirá recoger todo lo que tengo en mi habitación.

—Ya ha sido recogido todo y enviado a la plantación de mister McGraw.

—Es posible que haya quedado algo.

—¡No! Lo hemos mirado todo. Debes estar tranquilo. No ha quedado nada que fuera tuyo.

—De todos modos, echaré un vistazo a la habitación.

—Como quieras.

Y el nuevo encargado se puso al lado de Weston al entrar en la vivienda principal.

—No necesito que me acompañes —dijo Weston.

—Está bien, pero ¡sin enfadarse...! Voy a saludar a Melody mientras tanto.

Weston entró en la habitación que había ocupado durante el tiempo que estuvo de encargado y administrador y la cerró por dentro.

Pero cuando buscó donde dejó una elevada cantidad de dinero, escupió una serie de maldiciones.

Acudieron el nuevo encargado y la vieja Melody.

—¿Qué es lo que te sucede, Weston? —Preguntó el nuevo encargado.

—¡Maldito...! ¿Aún te atreves a preguntar qué me sucede...? ¡Me habéis robado mis ahorros...!

—No sé de qué hablas —dijo el nuevo encargado—. No hemos visto ningún dinero.

—¡Sois unos ladrones...! ¡Por eso no querías que entrara en la habitación...!

—Repito que no sé nada. ¡No me canses, Weston! Tú sabrás dónde has dejado ese dinero de que hablas.

—¡Os denunciaré...!

Y Weston se lanzó sobre el nuevo capataz, el cual le apartó de un manotazo.

El dolor de este golpe, sobre un rostro tan resentido, fue inmenso.

Regresó a la plantación de su amigo McGraw, furioso, dolorido y francamente asustado.

—Joel me ha despedido, por medio de una carta —dijo al desmontar—. Hay otro ocupando mi puesto. Creo que hice mal en enviarle el escrito.

—¿Qué piensas hacer ahora...? —Preguntó McGraw—. Supongo que no esperarás trabajar conmigo. Sería la mayor torpeza que los dos podíamos cometer.

Weston miraba a McGraw sorprendido.

—¿Es que no me vas a permitir trabajar aquí?

—Tienes que comprender que eso no es posible. Sospecharían en el acto que estábamos de acuerdo para quedarnos con esa plantación por poco dinero.

—¡Pero no tengo adónde ir! Y no tengo un solo centavo.

—¡No sigas! A mí, no me vas a engañar.

—Pero es verdad. ¡Me han robado los ahorros que tenía escondidos en mi habitación!

McGraw, por la forma de hablar Weston, comprendió que era verdad.

—Si es así, lo siento mucho, Weston, pero insisto en que no puedes quedarte aquí. Estarás unos días como mi invitado ya que el capataz te invitó en mi nombre delante de muchos testigos.

Weston no se atrevía a decir lo que estaba pensando. No se encontraba en condiciones. Estaba furioso contra la cobardía de McGraw que, al verle sin trabajo, se negaba a tenderle una mano cuando habían cometido juntos bastantes actos delictivos.

Más tarde, McGraw le dijo que podría trabajar en los almacenes que se iban a inaugurar, ya que tenía amigos a los que les podía recomendar.

Weston aceptó la oferta, pero con la fiel decisión de quedarse con la mayor parte de los ingresos. Era una manera de vengarse de este desprecio.

Mientras tanto, Pamela entró decidida en las oficinas de una de las navieras de la que era la mayor accionista, preguntándole el empleado que la atendió:

—¿Su nombre...?

—Pamela Madison.

—¿Está citada?

—No es preciso. Diga a los reunidos mi nombre. Estoy segura que bastará.

—No les puedo molestar. Es una reunión del consejo y hasta que terminen no me está permitido entrar.

Pamela era demasiado decidida para que aquel empleado la hiciera cambiar de idea.

Capítulo 8

Los reunidos dejaron de hablar al abrirse la puerta y ver aparecer a Pamela en ella.

El empleado apareció tras la joven.

—¡Salga inmediatamente de aquí! —Gritó.

Y mirando a los reunidos, añadió:

—No he podido evitarlo. Me ha empujado y entró.

—¡Cállese! —Gritó Pamela—. Mi nombre es Pamela Madison. ¿Les dice algo, caballeros?

—¡La hija de Madison...! —Exclamaron algunos.

El empleado, al oír esto, se retiraba aturdido.

—En efecto, yo soy la hija de Madison. ¿No era mi padre el que presidía este consejo?

—Así es, pero desde su muerte, me encargué de la presidencia —dijo uno—. No podía quedar la compañía desamparada de tal cargo.

Pamela, contestó:

—Es lógico que así se hiciera. ¿Les han comunicado que las acciones han pasado a mi nombre?

—¡Un momento...! —Exclamó otro—. Sabemos que hay un pleito entre usted y los sobrinos de su padre, a quienes conocemos. Mientras la ley no diga la última palabra, debe permanecer usted al margen.

—Me llamo Pamela Madison —repitió la joven—. Y las acciones están a mi nombre, no al de la heredera de Madison, sino al de Pamela Madison, que soy yo. ¿Verdad que está claro, caballeros? Lo de ese falso testamento nada tiene que ver con esta reunión. Aquí traigo documentos que demuestran mi personalidad y una certificación del banco con la relación de acciones que poseo en esta compañía.

Acto seguido, el secretario se hizo cargo de los documentos aludidos.

Una vez bien estudiados, en unión de varios consejeros que se acercaron curiosos, dijo:

—Caballeros, no hay ninguna duda. Esta dama tiene la autoridad, por su participación económica, a presidir este consejo.

Después de un ligero rumor, ofrecieron a Pamela el sillón de la presidencia.

La joven pidió el orden del día para la reunión. Se lo facilitaron con la más grande extrañeza reflejada en los rostros de la mayoría de los consejeros.

Pamela consultó este orden del día con la mayor atención.

Rompiendo el silencio que se había hecho, dijo Pamela:

—Caballeros: antes de entrar de una manera formal en este orden del día, permítanme que pida aclaración a algo que encuentro aquí y de lo que no tengo ningún conocimiento. Me refiero a los dos últimos barcos que han sido adquiridos por la compañía. En la documentación que me ha sido entregado no figuran esos barcos como propiedad de esta naviera.

—Se trata de dos nuevos barcos de los que daremos cuenta en esta reunión y que han sido adquiridos por el consejo en el periodo de paro entre sus reuniones semestrales.

—¿Cuánto pagaron por ellos?

—Sólo setenta mil dólares.

El rumor de esta cifra asustó al que hablaba.

—No deben asustarse, caballeros —continuó

el que hablaba—. Esos dos barcos proporcionarán elevados beneficios con el transporte de algodón.

—Eso es una simple suposición —objetó Pamela—. Tengo entendido que hay demasiada competencia ilegal en el transporte fluvial.

Los consejeros se miraban unos a otros cada vez más sorprendidos.

—¡Bueno...! —Exclamó el presidente interino—. Esta dama debe entender poco de barcos cuando cuestiona la compra de esos dos barcos que la compañía considera una «ganga».

—¿Era usted parte interesada en esos barcos...? Me refiero antes de la compra.

—Sí, ¿por qué motivo...? Otro consejero y yo éramos parte interesada.

El escándalo no le dejó continuar.

Rostros totalmente hostiles rodearon al presidente interino y al otro consejero que manifestó ser parte interesada en los barcos.

Rápidamente, el secretario negó haber firmado el acuerdo de compra.

—En ese caso, no se hable más del asunto. Ellos lo resolverán.

—¡Está comprometida la compañía...! Es la que ha contraído el compromiso de compra.

Pamela, en tono decidido, dijo:

—Siendo tan buen negocio, otros se alegrarán de que nosotros no sigamos adelante. No hay por qué preocuparse. No se va a perjudicar a nadie.

Los oyentes miraban con simpatía a la joven.

—Ustedes dos pueden vender, ya que conocen su verdadero valor, en mucho más precio. ¿No les parece?

—Se trata de una cuestión de formalidad.

Pamela, en tono molesto y decidido, dijo:

—No siga hablando. ¡No deben hacerme perder la calma! Son ustedes dos vulgares ladrones. ¡Las autoridades fluviales se encargarán de aclarar esto!

Los consejeros rodearon a los aludidos por Pamela y ellos se replegaron asustados.

—¡Está bien...! —Exclamó uno—. Si no acceden, no faltarán quienes quieran comprar.

—De acuerdo; así lo espero, pero les advierto a los dos que las autoridades tanto fluviales como federales se encargarán de aclarar la verdad.

La gritería que siguió a las palabras de Pamela asustó a los que habían propuesto la compra de los dos barcos.

Ambos consiguieron escapar. Iban aterrados.

—¡Vaya una heredera...! ¡Y nos reíamos de ella al entrar! —Dijo uno de los dos al verse en la calle.

—Pero no se reirán de nosotros. Tendrán que hacer frente al compromiso adquirido por parte de la compañía.

El otro hacía protestas por el estilo.

La reunión terminó dos horas después.

Pamela salió rodeada de los consejeros que admiraban su carácter y su inteligencia. Y, por tanto, el nombre de Pamela se estaba convirtiendo en algo conocido y comentado en la ciudad.

Los que esperaban a los consejeros que habían apoyado la compra de los dos barcos, al saber que no habría dinero, se enfadaron mucho.

—¡La compañía ya se comprometió a comprar esos barcos...! —Dijo uno.

—Hay que pedir a Woods que intervenga.

Poco más tarde, ambos visitaron el despacho de este abogado, al que expusieron el caso.

Woods, después de escuchar a sus clientes, dijo que sabría enfocar la cuestión.

Al otro día se presentó en el juzgado con una querella perfectamente razonada, según él.

El juez leyó lentamente y, al terminar, dijo:

—Esto no puede prosperar, mister Woods. Tengo aquí una denuncia de esa naviera por intento de robo por parte de dos de sus consejeros que serán detenidos hasta que se aclare lo que hay de esos dos barcos que ellos afirman haber comprado en nombre de la sociedad.

El abogado quedó paralizado y confundido.

—¡No es posible...! —Exclamó.

—Es lo más justo que podían hacer los de naviera tras ese intento de estafa.

—Es un truco para eximirse del pago acordado

por la compra de esos dos barcos.

—Me han indicado que ya han salido los técnicos para reconocer los barcos y recoger datos de los vendedores. Técnicos oficiales, comisionados por el gobernador.

Woods se sentía más inquieto al saberlo. Se disponía a marcharse porque no se podía hacer nada. Se daba cuenta de que los de la naviera se les habían adelantado.

Cuando se disponía a salir, el juez, le dijo:

—¡Ah...! Se me olvidaba: el fiscal general desea verle.

—¿No sabe para qué...?

—No, pero debe tratarse de alguno de los asuntos que usted lleva.

Woods se encogió de hombros y al salir de allí se presentó en el despacho del fiscal general.

Fue recibido en el acto.

El fiscal le saludó fríamente, como siempre que se encontraban.

—Tengo aquí una comunicación en la que se me dice que ha aparecido un segundo testamento de un tal Madison, de Baton Rouge, y que era usted el depositario del mismo.

Esto preocupó a Woods más que lo otro.

—Es cierto —respondió.

—Así que mister Madison le dejó a usted un testamento, ¿no es eso?

—Sí.

—¿En qué fecha fue?

—No puedo decírselo con exactitud. Son datos que preciso consultar en mi despacho.

—No creo que haga falta. Lo vamos a ver en el registro de últimas voluntades. Allí estará anotado.

Woods palideció intensamente.

—¡Verá...! Se me olvidó pasar por el registro ese testamento.

—¡Muy interesante...! Sobre todo, cuando había otro testamento completamente legal depositado por el fallecido mister Madison en manos de Jones, el abogado de Baton Rouge. ¿Le cobró mucho Wallace por ese trabajo?

—¡No comprendo lo que quiere decir...!

—¿Es posible...? Vamos, mister Woods. ¿Es que no puede dejar de ser un tramposo? He extendido una orden por la que se le inhabilita a perpetuidad para el ejercicio de la abogacía en Louisiana. Sé que acabarán linchándole y no quiero que sea un abogado en ejercicio cuando lo hagan. Sería una deshonra para los de su gremio.

—¡No puede hacerme eso! Sé que actúa así por lo mucho que me odia. Pero le aseguro que lo de ese testamento es verdad.

Hizo sonar el fiscal una campanilla y, al aparecer el empleado, le dijo:

—Haga pasar al que está esperando.

Y a los pocos segundos, entraba Wallace, el falsificador.

Woods estaba lívido como un cadáver.

—Dime... ¿conoces... a este... caballero, Wallace? —Preguntó la autoridad judicial.

—Ya lo creo. Es mister Woods. Uno de mis mejores clientes. Es de los que mejor pagan.

—¿Recuerdas si le has hecho hace poco un testamento?

—Sí. De un tal Madison. ¡Hice un magnífico trabajo! El propio Jones, que es paisano mío, reconoce que la falsificación es perfecta. Lo siento, Woods, pero no he tenido más remedio que confesar la verdad. Me asustaron demasiado.

—¿Algo que alegar, mister Woods?

El abogado, intentando no demostrar el miedo que sentía, dijo:

—Pero, ¿qué mentiras está diciendo este hombre? Está bebido. ¿Es que no se da cuenta?

La entrada de un inspector federal hizo palidecer mucho más a Woods.

—Así que es éste el famoso abogado y juez de Nueva Orleans que afirma que es el depositario de un segundo testamento del viejo Madison. ¡Pobre...! Era una buena persona. Hizo bien en desheredar a sus sobrinos.

Woods, totalmente acorralado por la clara confesión de Wallace, poco después terminó por declarar que había sido Rosenberg el que le había pedido que hiciera la falsificación por la que, de salir bien, como esperaba ese abogado, le darían una cifra tan elevada como cincuenta mil dólares.

Seguidamente fue detenido el experto falsificador.

También el abogado a pesar de sus protestas.

Cuando más tarde le visitó el juez en la prisión, éste le dijo:

—Tenía que acabar muy mal, abogado. De poco le va a servir el haber estafado a hombres honrados.

—¡Esto es una injusticia! Lo que ha hecho el fiscal conmigo es un abuso.

—No. Ha hecho lo correcto. Este asunto le va a costar a usted unos cuantos años en la penitenciaría y debe estar muy contento con que no le cuelguen, porque ese testamento que mandó falsificar empujaba al crimen de una tercera persona.

—Me concreté a hacer el encargo que me hacía un compañero o colega.

—Ya lo sé, Rosenberg, de Baton Rouge. Otro que lo va a pasar bastante mal. El inspector va a ir a por él.

Después de prestar declaración formal, y una vez que lo hubo firmado, pidió salir bajo fianza que él mismo abonaría, pero el juez se negó a admitir fianza alguna.

Los que esperaban la ayuda de Woods en lo de la compra de los barcos, al saber que había sido detenido el abogado, se asustaron.

Pero poco después, esos dos consejeros que se habían comprometido a la compra de los dos nuevos barcos en nombre de la compañía, al informarse de cuál era la causa de la detención de Woods se tranquilizaron.

Buscaron otro abogado que quisiera ayudarles, pero el hecho de que la compañía naviera les denunciara a ellos, motivó una orden del gobernador para la detención de esos dos consejeros.

Y así sucedió poco más tarde.

Cuando estaban más tranquilos en el hotel conversando con los que representaban la compañía vendedora, se presentó el sheriff para pedirles que le acompañaran a su oficina.

Ellos no podían sospechar que les iban a detener.

Cuando se quisieron dar cuenta, eran internados en una celda próxima a la que ocupaba Woods.

Los que esperaban el regreso de los dos, al ver que tardaban demasiado, decidieron marcharse rápidamente de Nueva Orleans.

No era más que unos granujas, pero, además, cobardes. El miedo les hizo confesar que los dos barcos precisaban de una gran reparación para poder continuar navegando por el Mississippi.

El juez les informó que la condena era de tres a cinco años y, además, la pérdida de todo lo que tenían en la compañía.

Esta confesión hizo subir muchos enteros la impresión que Pamela causó a los compañeros de consejo.

Pero cuando la joven, a los tres días de estas detenciones, terminó de estudiar lo de la compañía, llegó a la conclusión de que había más granujas que los que estaban privados de libertad.

Poco después, fue a visitar al ingeniero naval, al que informó de lo que sucedía para que se encargaran de limpiar esa compañía naviera.

Puso a disposición del ingeniero las pruebas necesarias que demostraban que por lo menos, eran merecedores de estar en prisión, cuando no, de la cuerda.

Los negocios navieros de Madison, que tanto llamaban la atención a los que vivían en Baton Rouge, y con los que había conseguido la inmensa fortuna de que hablaban, estaban siendo para Pamela un terrible y brutal descubrimiento.

A pesar de que casi no podía creerlo, se daba cuenta de que su padre había sido el mayor bandido que hubo a lo largo y ancho del Mississippi.

Su gran fortuna la había conseguido expoliando a familias que se vieron necesitadas.

No tuvo fuerzas para confesar todo esto al ingeniero, aunque sintió deseos de hacerlo.

Cuando llegó a la conclusión aludida, se sentó en la cama del hotel y pensó en los parientes que trataban de conseguir a toda costa lo que había dejado su padre.

Lo que Pamela no comprendía de ningún modo, era que lo hubiera hecho tan bien su padre que nadie pudiera sospechar nunca la verdad.

Había muerto como uno de los hombres considerados más estimados y respetados de todo el territorio. En todo el río Mississippi, desde su nacimiento a la desembocadura, nadie se hubiera atrevido a poner en duda la honradez de ese hombre.

Sólo la natural desconfianza que sentía Pamela pudo hacer que llegara a saber todo ese terrible y trágico pasado de su padre.

Ella sabía por su madre que el viejo Madison se enriqueció después de marcharse ella de su lado. La causa de la marcha no era la que decía el muerto en la carta que le había dejado a ella. La realidad fue que su madre escapó de su lado cuando descubrió que había quedado embarazada de un asesino.

Esta terrible información consiguió arrancársela a su madre cuando ya estaba muy enferma. Era entonces cuando se hablaba de la riqueza de Madison.

Pamela, no había querido confesar a nadie su terrible secreto.

Se marchó a Baton Rouge, dispuesta a aumentar en lo posible esa riqueza, pero para que tuviera una finalidad beneficiosa para muchas familias necesitadas.

Sentía escrúpulos de tanta riqueza, conseguida en la forma que debió hacerlo su padre.

Por eso había ofrecido sesenta mil dólares por unas tierras sabiendo que no lo valían.

El dinero que había en el banco le causaba náuseas.

Antes de marcharse, en la última visita que hizo el ingeniero, éste dijo a la joven:

—Le voy a presentar al nuevo inspector federal que ha sido enviado a Louisiana. Es de la misma ciudad en que usted vive ahora.

—¿De Baton Rouge?

—Sí.

—¡Qué casualidad...! Mañana mismo quiero regresar allí. Me han asqueado estos asuntos y las personas que se mueven en tal ambiente.

—El también piensa dar una vuelta por aquella zona.

Entró el aludido y Pamela se encontró con un hombre joven que tendría dos o tres años más que ella a lo sumo. Era de elevada estatura y bien proporcionado.

—Ésta es la muy célebre heredera de Madison —dijo el ingeniero.

—Tenía muchos deseos de conocerla —contestó el visitante—. Tengo motivos de gratitud hacia usted.

—¿Hacia mí...? —Exclamó Pamela sorprendida.

Capítulo 9

—¿Sabe cómo me llamo...?

—No.

—Joel Stuart.

—¡No...! —Exclamó sonriendo ella—. ¡No es posible...! ¿Estuvo aquí cuando le escribieron sobre la oferta de mister McGraw por su plantación?

—No. Estaba bastante más lejos. Me han nombrado inspector federal hace muy poco. Melody me escribió con detalles sobre lo ocurrido. Creo que dio usted una buena paliza a Weston, y al cobarde de George, pero ambos son peligrosos enemigos.

—No pude contenerme.

—¿Qué pasa con sus parientes...? Me refiero a los sobrinos de Madison. Uno de ellos, Carl, es un gran aficionado al cuchillo.

La joven, explicó:

—Han preparado una falsificación de un testamento, y un granuja abogado de aquí, mister Woods, está detenido y pendiente de que se le juzgue. Falta el cobarde de Rosenberg, que es una de las personas que deshonran a Baton Rouge.

Joel, sonriendo, replicó:

—Me parece, que se han llevado una gran y desagradable sorpresa, con usted. Seguramente, esperarían engañarle con facilidad.

La joven, dijo:

—Cuando me canse, arrastraré a esos parientes.

Salieron de la oficina del ingeniero y fueron a comer.

Mientras comían, exclamó ella:

—¡Buena sorpresa espera a Weston cuando sepa que es el inspector federal jefe de este territorio...!

—Es un ventajista y un granuja. Tuve compasión de él y le dejé encargado de mi plantación.

—No debió hacerlo.

—Creí que, al verse en tal posición, cambiaría. Le quise dar una segunda oportunidad. ¡Me equivoqué...! Sigue lo mismo que cuando éramos muy jóvenes ambos. Lo que no comprendo todavía es que sea tan tonto como para que me enviara un documento para que firmara y me quedara sin la plantación por una cantidad tan ridícula.

—Debió ser una propuesta del que hizo la oferta. ¡No me gusta...!

—Sueña con mis tierras desde hace mucho tiempo. Debe haber alguna razón que ignoro.

Después de comer siguieron juntos. Se sentían a gusto hablando de sus cosas. Más tarde vieron un espectáculo que les hizo mucha gracia.

Pamela no quiso hablar de los tiempos que vivió con su madre en Nueva Orleans.

Cuando la joven se metió en la cama, completamente rendida por ser ya tarde, pensó mucho en Joel y le encontraba admirable.

A la mañana siguiente cuando salió del hotel, le encontró en la puerta del mismo.

Pamela, iba a sincerarse con el joven. Le dijo que estaba dispuesta a vender las acciones que poseía de todas las compañías navieras.

Joel le ofreció su ayuda. Y con esta finalidad, visitaron al director de uno de los bancos más importantes de Nueva Orleans.

Prometieron a Pamela que en vez de venderlas todas de golpe, lo iban a hacer en tres o cuatro días. De esa manera, se realizaría la venta, pero sin provocar ningún pánico, que es lo que podría suceder si trascendía la venta de tanta acción.

Esto suponía tener que permanecer en Nueva Orleans unos cuantos días más. Y con ello la posibilidad de estar acompañada la mayor parte del tiempo por Joel.

Este solía ir a su oficina y a las dependencias de las autoridades fluviales, pero no tardaba mucho en regresar junto a ella.

Pamela fue presentada al alcalde de Nueva Orleans que, a su vez, presentó a la esposa, que tenía unos ocho o nueve años más que ella, con la que hizo amistad en el momento de conocerse.

Y a partir de entonces, el matrimonio iba con ellos a los espectáculos elegidos y a toda clase de diversiones.

Pamela se sentía feliz con esa vida y ambiente.

Joel también era dichoso al lado de ella.

—Parece que te gusta la hija del viejo Madison —dijo el alcalde a Joel.

—De verdad que así es —confesó Joel—. Creo que acabaré enamorándome perdidamente de ella, si es que ya no lo estoy.

—Ya me doy cuenta. Le sucede lo mismo a ella. Como sigáis viéndoos unos cuantos días más, no podréis evitarlo ninguno de los dos.

Para Joel era muy buena noticia.

Hacía cuatro días que entregaron las acciones en el banco, cuando fueron invitados para asistir a una fiesta benéfica para recaudar fondos a favor de las familias que habitaban en una zona pobre de la ciudad.

La residencia del alcalde, aun siendo amplia, resultaba pequeña, en especial para los espectáculos. Acordaron que les prestaran una lujosa mansión propiedad de una honorable familia.

Pamela se vistió de tal forma para la fiesta que, al encontrarse con Joel, exclamó éste:

—¡Estas preciosa...!

Ella le oprimió el brazo cariñosa. Se sentía feliz.

Poco más tarde, al llegar a la mansión, donde

fueron recibidos por el alcalde y su esposa, ambos elogiaron la belleza de Pamela.

Cuando más distraídos estaban, se acercó a ellos un personaje conocido de Joel y del alcalde.

Era un hombre de negocios, lo que más tarde llamarían un financiero.

En tono molesto, dijo:

—Supongo que esta joven es la que ha entregado paquetes de acciones de compañías navieras para su venta. Por tal causa, hay un gran desconcierto y temor en la mayoría de las poblaciones ribereñas. ¿Qué se propone con lo que ha hecho?

Quedaron los cuatro sorprendidos.

Pamela fue la primera en contestar. Lo hizo en tono tranquilo, diciendo:

—Nada extraño. Solo vender.

—¿Todas a la vez...? ¿Qué va a pasar ahora...? ¿Es que han dejado de ser rentables las navieras?

—No; ni mucho menos, caballero. Simplemente se trata, que estoy cansada de tener que presidir consejos en distintas compañías. Dedicaré ese dinero a la cría de buenos caballos. Pronto se hablará de los purasangre de Baton Rouge.

—Ha hecho usted un grave daño. Se ha producido un gran desconcierto entre los grandes accionistas.

—No era mi intención —se disculpó Pamela.

—¡A mí no me puede engañar...! —Agregó sonriendo el personaje—. Conocemos cómo ha llegado a su poder tanta acción. Todo eso correspondía a los sobrinos de Madison, que son conocidos muy aquí. Pero el abogado Jonas, que odia a esos parientes suyos, de acuerdo con usted, la ha hecho pasar por la hija del viejo Madison, cuando éste no tenía hija alguna ni más parientes que los que vivían a su lado en Baton Rouge.

Pamela contuvo a sus acompañantes. Después, con tono y sonrisa indulgente, dijo:

—Este caballero ha abusado un poco de la bebida. No sé lo que dice. Olvida dónde estamos.

—¡No he bebido nada...! ¡Lo que digo es la verdad...! Con su acción, está arruinando el negocio naviero. Han bajado más de la mitad y todavía

siguen descendiendo todas las acciones. Si sigue con la idea de vender más, nos arruinará más aún.

Se formó un corro de curiosos.

La esposa del propietario de la mansión acudió en ayuda de Pamela.

Pero a los pocos minutos se ponía en duda el parentesco de la muchacha con el viejo Madison.

Culpaban al abogado Jonas de haber sido el autor de esa «comedia» para quedarse con lo que había administrado desde la muerte de Madison.

Joel iba de un grupo a otro para tratar de averiguar quiénes eran los autores materiales de esta sorda campaña contra Pamela.

El alcalde estaba a su lado.

—Son los amigos de ese caballero —manifestó Joel, por el que había insultado a Pamela.

—No podemos hacer nada aquí durante la fiesta. Voy a hablar con el sheriff y con las autoridades del río para que actúen al salir de esta mansión —dijo el alcalde.

Pamela en esos momentos, estaba rodeada de damas que, muy curiosas, contemplaban a la que suponían una aventurera.

Muchas de aquellas damas la hubieran defendido de haberse presentado en Nueva Orleans con el apellido de su madre.

Pero nadie se atrevía a decir una palabra porque la esposa del alcalde, que se hallaba a su lado, no hacía más que hablar con ella.

—Lamento mucho esta contrariedad —decía Pamela—. Y siento no haber venido con armas para hacer pagar caro a esos cobardes lo que están diciendo de mí.

—No debe preocuparse de lo que digan. Nosotros sabemos que no es cierto.

Sin embargo, la esposa del alcalde había observado a los amigos del rico hombre de negocios y, segura que eran los que hablaban mal de Pamela, mandó llamar a uno de los criados y habló con él en voz baja.

Éste habló con la dama a la que servía y avisó a otros criados buscando a los que censuraban a Pamela y les rogaban suavemente, pero con firmeza, que abandonaran la mansión.

Para los expulsados era una bofetada moral que no sabían encajar respetuosamente y algunos de ellos insultaron a Pamela y a los dueños de la casa que estaban protegiendo a una aventurera como ella.

Joel que escuchaba estos comentarios, fue contenido por el alcalde que le dijo:

—Déjales. Ya hablaremos mañana con todos ellos. Ahora debes estar tranquilo.

—¿Es que no te das cuenta...? ¡Son unos miserables cobardes...!

—Lo sé muy bien, pero te pido que tengas paciencia. Les pediremos explicaciones.

Anthony Hall, el respetado financiero que motivó el incidente en la fiesta benéfica, comentaba con unos amigos lo sucedido. Decía:

—No puedo entender que el alcalde, ayudando a una impostora, nos hiciera salir de la mansión.

—No fue el alcalde.

—¡Él se lo ordenó a los dueños de la casa...!

—No debieron hablar así en esa casa —intervino un tercero.

—No se puede hacer de otro modo. Esa loca está arruinando las compañías navieras. ¡Y no es la heredera del viejo Madison!

—No parece que haya ninguna duda sobre su herencia. He oído a las autoridades. El testamento se hizo ante el juez de esta ciudad y se registró debidamente.

Otro de los presentes, dijo:

—Míster Hall, ¿sabe usted que el testamento a que se refiere era una falsificación hecha por Wallace? Míster Woods está detenido por ello.

Hall miró al que hablaba.

—No hablaba con usted —exclamó.

En ese momento, Joel que estaba entrando en el local, intervino, diciendo:

—Lo que debe decir a todos estos caballeros, es que está usted mintiendo.

Palideció Anthony al ver al inspector de los

federales. En tono nervioso, añadió:

—Digo solamente lo que he oído. Si me han engañado no es culpa mía.

—¿No acompañó usted a Woods para convencer a Wallace de que hiciera la falsificación? Eso es lo que ha debido añadir a sus anteriores comentarios. No podía ignorar que es falso el testamento, ya que usted fue el que hizo el encargo del mismo.

Joel avanzaba hacia el elegante hombre de negocios mientras hablaba.

Anthony retrocedía asustado.

—¡Es usted demasiado cobarde, amigo...! ¡Y se atreve a dudar de la heredera de Madison...! ¿Quién es usted para hablar así...? Ha creído tener engañados a todos, ¿verdad? Yo diré quién es en realidad.

Todos miraron hacia la puerta en la que había algún revuelo.

Era Pamela, que iba vestida de pantalones vaqueros y sombrero tejano de ancha ala. Avanzaba decidida mientras apartaba a los curiosos.

—¡Joel...! —Llamó entrando—. ¡Deja que sea yo la que hable con él!

—No te preocupes, Pamela. Yo le diré lo que ha creído que ignoramos las autoridades federales y las del río.

Pero ella, con decidido tono, añadió:

—Es a mí a la que ha insultado como un cobarde que es. Me ha llamado impostora y ladrona. Se están comentando en la ciudad sus palabras.

—Te digo que yo me encargo de aclararlo todo.

—¡No! Te ruego permitas que lo haga yo. Este cobarde no merece más que un trato.

Acto seguido, la cuerda que llevaba la muchacha se enroscó en el cuello del conocido financiero.

A continuación, los testigos se miraban asombrados unos a otros viendo el castigo que estaba recibiendo.

Joel sonreía y vigilaba a los amigos.

—¡Acabad con ella...! —Gritaban.

Con ello, lo que consiguieron fue que el castigo se incrementara.

Poco después, la joven, suspendiendo el castigo, dijo:

—Me parece que ya tiene bastante. Se acordará de mí mientras viva.

Joel salió con ella del local. Los curiosos y testigos se acercaron al caído, que estaba sin conocimiento.

Algunos corrieron en busca de un doctor, que al reconocer al castigado, movía la cabeza preocupado.

Después de reconocerle, aconsejó:

—Llévenle al hospital. Únicamente allí es donde podrá recibir las atenciones que necesita. Aunque dudo que salve la vida. ¡Vaya un castigo más feroz...!

Entraron algunos íntimos del castigado y preguntaron lo sucedido.

—¿Es que van a tolerar que esa «pécora» impostora haga esto y no sea castigada?

Miraban en silencio a quien decía esto.

—El inspector se hallaba con ella —dijo uno—. Parece que se ha demostrado que el segundo testamento de Madison del que se habló aquí, es falso. Estaba hecho por Wallace, y éste fue a pedirle que lo hiciera.

—Es verdad —comentó otro—. Woods está detenido por esta falsificación. Wallace lo ha confesado.

—De todos modos, esa joven no sabemos si es una hija legal. Madison la reconoció a última hora. Pero ya que trata así a los caballeros, no tendremos consideración con ella. ¡Será colgada en los muelles para que todo el mundo la pueda contemplar!

Nadie le hacía caso.

Acto seguido el destrozado Anthony fue llevado al hospital donde el doctor podría atenderle con otros medios a su disposición para ello.

El que hablaba de castigar a Pamela fue en busca de sus amigos. Eran todos los que habían sido expulsados de la mansión en la que se celebraba la fiesta.

Planearon con cuidado el castigo de Pamela sin tener en cuenta su amistad con el inspector federal y el alcalde de la ciudad.

Para ellos era una cuestión de prestigio. Tenían que seguir siendo temidos.

Se daban cuenta de que si permitían que esa muchacha quedara sin castigo después de lo que hizo con Anthony, no serían respetados en lo sucesivo.

Aunque pasaban por caballeros en la ciudad, ellos sabían que se les temía y les agradaba este temor que les permitió hacer grandes negocios que no habrían conseguido de otro modo.

Los locales de diversión que visitaron eran todos de amigos. En ellos comentaron lo sucedido a Anthony.

El propietario de uno dijo:

—No habéis debido hablar así de esa joven. Ya nadie duda que es la heredera de Madison. Fue una tontería lo que dijo Anthony, sobre todo cuando el inspector sabía que fue el que pidió, con Woods, a Wallace que hiciera un buen trabajo.

—Tenemos que conseguir que los sobrinos se hagan cargo de la herencia. Nos dejarán la compañía a nuestra disposición. Ahora esa loca ha expulsado a los que teníamos en ella de nuestra confianza.

—¿Qué hay de esa venta de acciones? Dicen que está provocando la ruina de varias compañías en la que era la mayor accionista.

—¡Ha vendido todas...! Ahora, nadie querrá conservar las que tienen y las navieras se vendrán abajo. ¡Es la ruina para ellos!

Uno de los amigos, dijo:

—A mí me parece que lo que tenéis que hacer ahora es dejar las cosas como están.

—¿Y no castigar a esa loca...?

—No olvides a quienes tiene a su lado. Al alcalde, el ingeniero naval y a las autoridades del río. ¿Crees que puedes hacer algo en contra de éstos? Sin duda contará también con el apoyo del gobernador.

—Si estuviéramos en el río, me encargaría yo de ella.

—Estamos en Nueva Orleans. Así que no compliquéis más las cosas.

Capítulo 10

—Por mucho que la defiendas, no evitarás que reciba el castigo que merece.

—Y serás colgado por el inspector. No juegues con él. ¡Ah...! Y que no se te ocurra intentar sobornarle. Este no es como el otro que había.

Pero el que hablaba insistió repetidamente en su deseo de castigo a Pamela.

Los dos amigos que estaban con él, estuvieron de completo acuerdo y salieron en busca de la hija secreta de Madison.

Fueron hasta el hotel en que sabían se hospedaba y preguntaron en recepción si estaba allí.

Pregunta que demostró a los oyentes el interés de los tres por la joven heredera.

Minutos más tarde lo sabía Joel.

En esos momentos, Pamela se encontraba en casa del alcalde, con la esposa de éste.

Seguidamente Joel abandonó su reducido despacho en las dependencias que les habían asignado y se marchó en busca de los tres «caballeros».

No tardó en hallarles, ya que pasaban las horas en los establecimientos de los amigos.

Estaban los tres sentados a una mesa, conversando con otros clientes.

Joel se acercó a ellos y dijo:

—¿Son ustedes los que tenían tanto interés en ver a miss Madison? Es lo que acaban de decirme en el hotel que se hospeda.

Los tres le miraron preocupados.

Uno de ellos, dijo

—Escuche, inspector. Las autoridades no deberían permitir lo que han hecho con mister Hall.

—Mister Hall se ha graduado como ventajista y asesino en el río. Y ustedes lo saben porque han sido sus compañeros en los barcos en los que han navegado.

—Pero, ¿qué es lo que dice? ¿Se da cuenta, inspector, que nos está insultando...?

—Decir lo que son ustedes realmente, no lo considero un insulto. Supongo que así lo interpretarán también los que nos escuchan. He completado hoy mismo la información que estábamos haciendo respecto a su grupo. Ahora, sé la verdad. ¡Ha llegado el momento de rendir cuentas por todos los crímenes cometidos en el río...!

—¿Y se atreve a presentarse solo ante nosotros...? ¡No le han informado bien...!

—¡Mucho cuidado, amigo! ¡Esas manos encima de la cabeza! —Advirtió

Joel, sorprendió a los tres. Tenía el Colt empuñado.

No tenían más remedio que obedecer. Y lo hicieron, realmente asustados.

Empezaron a pedir perdón y aseguraban que un conocido personaje en los medios financieros les obligó a actuar en la forma que lo hicieron en el barco.

Esta confesión puso en movimiento a los que escuchaban, y de nada sirvió a Joel que tratara de impedir el linchamiento.

Los tres fueron arrastrados y colgados.

Poco más tarde, Anthony fue detenido en el hospital. Pero durante el traslado a la enfermería de la prisión dejó de existir.

El médico que le había atendido comentó:

—Lo sorprendente es que haya vivido tantas horas.

Los que eran amigos del muerto, desaparecieron rápidamente de la ciudad.

Cuando Joel informó a las autoridades del río, dijo:

—Sospechábamos de él desde hace ya bastante tiempo. Hemos descubierto que sus verdaderos negocios no consistían en esos almacenes de algodón que adquirió últimamente, sino que lo seguían siendo los grupos de ventajistas que tenía en todos los barcos que navegan por el Mississippi y que después, en esta ciudad, le rendían cuentas.

—¡Nos tenía a todos engañados! —Exclamó una de las autoridades del río.

—Le dolió mucho a ese «caballero» que no heredaran los sobrinos de Madison. Habían estado en el río trabajando a sus órdenes. Del viejo Madison hablaremos en otra cercana ocasión. De haber vivido, él continuaría siendo el rey del río.

—¡No es posible...! —Exclamó la autoridad del río—. ¿Paul Madison el rey del río...?

—Tendrán más información en breve. Ahora, hay que limpiar el río de todos esos grupos que siguen actuando en los barcos.

Pamela dijo que iba a regresar a Baton Rouge.

Joel se dispuso a ir con ella. Tenía que aclarar lo de su plantación.

Pero aún pasaron en Nueva Orleans los dos más días de los convenidos.

Cuando llegaron a la capital, a bordo de uno de los barcos propiedad de Pamela, Rosenberg estaba presionando para que se llevara a la corte lo del nuevo testamento de Madison.

No sabían nada de lo sucedido en Nueva Orleans porque Joel y las autoridades del río impidieron que los periódicos publicaran nada, más pensando en el río que en Baton Rouge.

Para Jones fue una sorpresa la visita de Joel. Pero le saludó con afecto y entusiasmo.

Lo mismo hizo con la joven.

Después, sonriendo, comentó:

—Se comentaba en la ciudad, por los amigos de Rosenberg y toda la camarilla, que no volverías, porque te habías dado cuenta que los verdaderos herederos son tus parientes.

—Deje que piensen lo que quieran.

—Es que me culpaban a mí de haber «fabricado» una hija que no existe para repartir contigo lo mucho que tenía tu padre. Además...

Ella le interrumpió, diciendo:

—Ya hablaremos de esto en otro momento. Vamos a vender mucho algodón. Todo lo que se obtenga de esa venta, habrá que pensar en la mejor forma para que sea utilizada en beneficio de esas zonas pobres de la ciudad, porque no quiero un solo centavo de esa herencia. También pondré en venta el resto de las acciones que me quedan. ¡No me interesan!

Joel miró sorprendido a Pamela igual como lo hacía el abogado.

—Creo que no he entendido bien —dijo Jones.

—No. Ha entendido perfectamente —añadió ella—. No quiero un centavo de la herencia.

—Es que...

—¡No siga...! ¡No me importa lo que pueda decirme! ¡No lo necesito, ni lo quiero...! Tengo que aclarar que tengo más dinero de la herencia de mi madre que lo que heredé de mi padre; pero, sin embargo, la herencia recibida de mi padre, es fruto de crímenes y robos en el río. Él era el jefe de una gran organización de ventajistas que tuvo distribuidos por los barcos.

Ahora era mayor la sorpresa.

—Sí. No se asusten por lo que digo. Mi padre era un bandido. Y no creo que sea éste el momento más adecuado para hablarles de él.

—¡Me cuesta mucho creer lo que está diciendo! —Exclamó el abogado—. Siempre consideré al viejo Madison como el hombre más honrado de Louisiana.

—Pues estaba muy equivocado. No sé si en

sus últimos años había cambiado, pero su pasado era tenebroso. No quiero un solo centavo de su herencia. Lo venderé todo, incluso esos potrancos que tan famosos se han hecho. Todo el dinero que obtenga será repartido proporcionalmente entre las familias más necesitadas.

—¿Has pensado bien lo que vas a hacer ahora? —Preguntó Joel algo dubitativo.

—Lo he pensado muy bien. Pero no deben decirlo a nadie. No quiero que cunda el pánico en las compañías navieras.

Jones tendió su mano a Pamela.

—¿Permite que la felicite...? ¡Pocas personas harían una cosa así!

Muy pronto llegó la noticia de que estaban Pamela y Joel en la ciudad a la plantación de McGraw.

Joel tenía ganas de encontrar a los sobrinos de Madison, y muy especialmente a Carl Madison.

Éste se hallaba reclamado por los muchos crímenes cometidos.

Su afición era el cuchillo, pero también, el disparo por la espalda.

Para Weston era una noticia muy desagradable la llegada de Joel. Deseaba castigar a Pamela, pero el hecho de hubiesen llegado juntos los dos jóvenes, asustó más al encargado.

McGraw miró a los sobrinos de Madison, que seguían en su plantación y les dijo:

—Tenéis que aclarar lo de vuestro tío.

—¡Ya lo creo que lo haremos! —Replicó Charles—. Se acabó la comedia. Carl nos ha aconsejado que empleemos el cuchillo con esa estúpida.

Y a los pocos minutos cambiaban de ropa y llevaban sendos cuchillos de monte en sus respectivas botas de montar.

Pamela se presentó en la ciudad muy temprano, pero oyó a Joel que, al desmontar, le decía:

—Vuelve al hotel. Yo arreglaré esto.

—Es que...

—Debes acostumbrarte a obedecer.

La muchacha obedeció al darse cuenta de que Joel estaba enfadado.

Joel se hallaba frente a la mansión de Madison.

Los dos esposos de las sobrinas del viejo Madison y Carl salían riendo.

—¡Hola, amigos...! —Saludó Joel—. ¡Cuidado...! ¡Las manos bien altas!

Obedecieron en el acto.

Al ver a Joel se quedaron completamente sorprendidos. Al salir de la casa habían pensado que la que llegaba a la mansión era Pamela.

Pero en seguida se tranquilizaron. Ellos no habían hecho nada en contra de Joel.

Lo que no se esperaban es que el joven, una vez que les desarmó les llevase a la oficina del sheriff.

—¡Hágase cargo de estos asesinos! Están reclamados en el río por todos los crímenes que han cometido en los barcos que han navegado.

Palabras que aterraron a los tres.

—¡No sabe lo que dice...! —Exclamó Carl—. Somos conocidos aquí.

—Y también muy lejos de aquí, como en todas las poblaciones ribereñas del Mississippi, ¿verdad?

Palidecieron los tres. Era lo que menos podían esperar. Creían que, en Baton Rouge, todos estaban ignorantes de su cruel pasado.

El de la placa, al marcharse Joel, sonreía.

—Os advertí que era peligroso jugar con él.

—Tiene que dejarnos salir de aquí.

—¡No...! No me agrada ser colgado por ese muchacho. Prefiero que os cuelguen a vosotros.

Al quedar a solas en la celda, comprendieron que su situación era desesperada.

—¡Vosotros dos sois los que tenéis la culpa de que me vea así! —Exclamó Carl.

Las esposas de Steve y Charles, al saber que habían sido detenidos, pidieron a McGraw que les ayudara. Pero cuando éste se presentó en la ciudad para hacerlo y saber que estaban reclamados en todo el río como ventajistas y asesinos, no quiso comprometerse.

Estaba informándose en un local cuando entró

Joel, que al saber quién era McGraw, le dijo:

—¿Me conoce, mister McGraw?

—Supongo que es Stuart. Me hablaron mucho de su estatura.

—¿Quién le aconsejó que ofreciera tan poco dinero por mis tierras?

—Bueno; Weston decía que...

—¡Es tan cobarde como él...! Veo que ha traído a sus hombres, Materson.

—¿Cómo me ha llamado...? ¡Me llamo McGraw...!

Pamela entró en silencio y escuchó como todos.

—Me interesa su plantación porque está al lado de la mía y así ampliaba mi cultivo.

Joel se sorprendió de los disparos oídos. Se volvió muy sorprendido.

En esos momentos, escuchó la voz de Pamela, que le decía en tono de reproche:

—¡Te habías confiado! Han estado a punto de matarte. Te estaba hablando para que no te dieras cuenta que esos cobardes parientes te iban a traicionar por la espalda. Estaban detrás de ti.

—No lo entiendo ¡Les dejé en la cárcel...!

—El sheriff cometió el error de dejarles en libertad y le mataron cobardemente. Los gritos que daba Carl en el interior de la oficina me alertaron. Ya no podrán cometer más crímenes. Me alegro de haberles matado yo porque con lo que he hecho, aparte de que lo merecían por todos los crímenes que habían cometido, he cumplido con lo que se debe hacer en estos casos. Lo podríamos llamar «ingratitud castigada».

Cuando horas más tarde buscaron a Weston y a Rosenberg habían desaparecido.

Las esposas de Steve y Charles huyeron con ellos al ser informadas de la muerte de sus esposos.

Dos semanas después, Pamela hizo lo que había prometido. Entregó todo el dinero conseguido por la venta de las acciones y de la plantación a las familias necesitadas de Baton Rouge.

—¿Qué te ha parecido, inspector? —Dijo a Joel, que la había acompañado durante el reparto del dinero.

—La mejor obra del viejo Madison.

Se emocionó Pamela.

—Creo que no debemos esperar a llegar a Nueva Orleans. Podemos casarnos aquí.

Así lo hicieron. A las pocas horas se convertían en marido y mujer.

—No me has contado lo que decía Carl Madison cuando asesinó al sheriff.

Pamela, dijo:

—¡Usa el cuchillo, Madison, usa el cuchillo...! Es todo lo que oí. Luego me asomé al interior de la oficina y vi al sheriff sobre un charco de sangre.

—Vamos a dar una gran alegría al alcalde de Nueva Orleans cuando nos vea convertidos en matrimonio.

Se echó a reír Pamela.

Pero ambos ignoraban que el alcalde había muerto víctima de un desgraciado accidente.

FIN

¡Visite **COLECCIONOESTE.COM** para ver
todas nuestras novelas del Oeste!

UN TRUCO
DE
COBARDES

MARCIAL LAFUENTE ESTEFANIA

LADY VALKYRIE COLECCIÓN OESTE®
coleccionoeste.com

GRUPO
INDESEABLE

MARCIAL LAFUENTE ★
ESTEFANIA

LADY VALKYRIE COLECCION OESTE®
coleccionoeste.com

DISPARAN COMO DEMONIOS

MARCIAL LAFUENTE ESTEFANIA

LADY VALKYRIE COLECCIÓN OESTE®

Made in United States
Orlando, FL
21 October 2021

10033813R00065